Francis WEILL

Le naufrage des religieux

de la sainteté au massacre

L'Harmattan

Du même auteur

Juifs et Chrétiens. Requiem pour un divorce. Un regard juif sur le schisme judéochrétien antique et les relations judéochrétiennes d'aujourd'hui, Éd. L'Harmattan, Paris, 2001

Lettre à un ami chrétien propalestinien, Éd. du Cosmogone, Lyon, 2003

D'Abraham à Hitler : histoire d'une famille juive alsacienne et de ses racines, racontée à une petite québécoise, Éd. l'Harmattan, Paris, 2005

Lettre sur l'antisémitisme. Autopsie des mythes de la haine, Éd. du Cosmogone, Lyon, 2005

L'éthique Juive en dix paroles. Une anthologie – un choulran aroukh de l'éthique, Éd.MJR, Genève, 2006

Contes juifs, Éd. L'Harmattan, Paris, 2008

Dictionnaire alphabétique des sourates et versets du Coran, Éd. L'Harmattan, Paris, 2009

Dictionnaire alphabétique des versets des Psaumes, Éd. L'Harmattan, Paris, 2011

Dictionnaire alphabétique des versets du prophète Isaïe, Éd. L'Harmattan, Paris, 2012

L'Intégrisme, le comprendre pour mieux le combattre, Éd. L'Harmattan, Paris, 2012, prix Caroubi 2013

Chrétiens et juifs, juifs et chrétiens : l'inéluctable fraternité, Éd. L'Harmattan, Paris, 2013

Éthique et imagerie médicale, Éd. L'Harmattan, Paris, 2013

Dictionnaire alphabétique des « Douze derniers prophètes », deux tomes, Éd. L'Harmattan, Paris, 2014

Le Jour où Dieu pleurera, conte philosophique sur l'absence de D., Éd. L'Harmattan, Paris 2014

Judaïsme, Christianisme, islam : Lire la Bible après la Shoah, Éd. L'Harmattan, Paris 2015

Folie du monde et vertige des religions, mémoires d'un vieux médecin, Éd. L'Harmattan, Paris 2016.

© L'Harmattan, 2017
5-7, rue de l'École-Polytechnique, 75005 Paris
www. harmattan.com
diffusion.harmattan@wanadoo.fr
ISBN : 978-2-343-11215-2
EAN : 9782343112152

Le naufrage des religieux

de la sainteté au massacre

Religions et Spiritualité
fondée par Richard Moreau,
Professeur émérite à l'Université de Paris XII
dirigée par Gilles-Marie Moreau et André Thayse,
Professeur émérite à l'Université de Louvain

La collection *Religions et Spiritualité* rassemble divers types d'ouvrages : des études et des débats sur les grandes questions fondamentales qui se posent à l'homme, des biographies, des textes inédits ou des réimpressions de livres anciens ou méconnus.

La collection est ouverte à toutes les grandes religions et au dialogue inter-religieux.

Dernières parutions

Pierre EGLOFF, *Pour des interpellations entre sciences et spiritualités, Aux frontières de l'Homme et de l'Univers*, 2016 .
Benedicte Bernard, *Laïcité française et sécularité chrétienne*, 2016
Robert W.JENSON, *Théologie Systématique, Volume 1, Le Dieu Trine*, 2016.
Daniel TRÉPIER, *La passion de la liturgie*, 2016.
Christian NGAZAIN NGELESA, *La nature humaine comme norme morale d'après Hans Urs von Balthasar*, 2016.
Albert SOUED, *Comprendre la Qabalah*, 2016.
Michèle JUIN, *Le Christianisme : une pensée puissante d'après Claude Tresmontant. Catéchèse en vue de la nouvelle évangélisation*, 2016.
Sylvain KIKWANGA, *La charité comme fondement du droit canonique*, 2016.
R. Alex. NEFF, *Evangéliques en réseaux, trajectoires identitaires entre la France et les États-Unis*, 2016.
Robert CULAT, *Le paradis végétarien. Méditations patristiques*, 2016.
Fabio SCHMITZ, *Causalité divine et péché dans la théologie de saint Thomas d'Aquin. Examen critique du concept de motion « brisable »*, 2016.
Mgr Jacques PERRIER, *Lourdes dans l'Histoire. Eglise, Culture et Société de 1858 à nos jours*, 2016.

Sommaire

6

Heureux l'homme qui ne suit pas les conseils des méchants, Ps. 1 :1.

Introduction

Nous sommes, nous dit-on, en guerre : une guerre « asymétrique ». Ces dernières années cette guerre frappait de temps en temps ; elle frappait des civils, des femmes des enfants. Elle n'a pas cessé de le faire ; mais elle le fait de plus en plus souvent, et dans des pays de plus en plus divers, dont, hélas ! le nôtre. Cette guerre est devenue l'un des problèmes majeurs de notre temps.

« Les religions meurtrières[1] » est le titre qu'avait choisi Elie Barnavi pour l'excellent essai qu'il fit paraître il y a déjà dix ans. Nous nous proposons dans cet ouvrage de nous placer sur le terrain de la théologie, afin d'essayer de comprendre comment de hautes spiritualités, éprises de sainteté, peuvent sombrer dans le meurtre collectif.

Nous commencerons par rappeler les étapes stéréotypées de cette chute, que nous avons dénommée « l'escalier du malheur ». Nous en avions analysé les étapes, en effet, dans un ouvrage antérieur[2] consacré à l'intégrisme. Puis nous examinerons comment les trois religions monothéistes se placent face à cette chute maléfique. Pour cela nous suivrons leur ordre chronologique d'apparition : Judaïsme, Christianisme, Islam.

---

1. *Les religions meurtrières*, Flammarion, Paris, 2006.
2. *L'intégrisme, le comprendre pour mieux le combattre*, L'Harmattan, Paris, 2012 (Prix Caroubi 2013).

Les intégrismes religieux ne sont pas les seuls à parcourir cet escalier du malheur : il est aussi emprunté par des intégrismes politiques, dont nous ne traiterons pas. Dans cet essai nous scruterons les textes sacrés et les théologies au laser ; et nous manipulerons cet instrument de loin, de façon à préserver une nécessaire distanciation. Entendons-nous : nous ne tiendrons aucun propos hostile aux religions en général ; notre sujet est celui des moteurs et des rouages de l'évolution funeste *de certaines religions, à certains moments* de l'histoire. Hélas ! nous vivons un de ces moments. Dans notre entreprise nous serons constamment confrontés à cette question : la chute dans l'escalier est-elle un événement fortuit, une dérive, un accident ? Ou, au contraire, est-elle inscrite dans le patrimoine génétique des religions ?

Chapitre I
L'Escalier du malheur

La première marche : la théologie de la substitution.
Égalité ou différence
La théologie de la substitution apparaît avec la révélation et l'institutionnalisation humaine d'une religion nouvelle. Elle repose sur une certitude absolue : la perfection atteinte par la nouveauté. Selon ses promoteurs, la foi nouvelle dépasse, dans ses réponses aux questions spirituelles de l'homme, tout ce qui a été proposé auparavant. Elle doit donc, en vertu de sa perfection toute neuve, se *substituer* à la religion ancienne. La substitution est avant tout théologique. Les fidèles de l'ancienne religion sont invités, par l'exemple et la persuasion d'abord, à ouvrir leur âme à la nouvelle foi. Mais l'accepteront-ils ?

La seconde conséquence de la théologie de la substitution est sociale : elle transforme les rapports que peuvent nouer les humains entre eux. La substitution annule en effet l'égalité universelle du genre humain. Cette égalité est affirmée par la tradition sapientielle du judaïsme, première des religions monothéistes selon la chronologie : bien que les récits bibliques fassent état de peuples multiples, la tradition talmudique, encore appelée tradition orale dans le judaïsme, insiste sur la création d'Adam en tant qu'homme *unique*; la création simultanée de plusieurs humains eût favorisé d'emblée des rivalités de groupes :

L'Homme a été créé unique. Pourquoi? À cause des justes et des méchants, pour qu'ils ne croient pas (que leurs qualités ou leurs défauts sont héréditaires), en disant : nous sommes fils d'un juste ou fils d'un méchant. Ou encore à cause des familles (pour éviter les querelles tribales ou raciales). Si de telles querelles existent alors que l'Homme a été créé unique, combien se seraient-elles développées si l'humanité était issue de deux êtres (B. Sanh. 38a)?

L'existence concurrentielle de Néanderthaliens et de Sapiens, de Brahmanes et d'Intouchables, est donc redoutée par cette tradition. Mais la théologie de la substitution crée de nouveaux Sapiens : elle institue une terrible frontière entre ceux qu'on peut appeler : les *Nôtres* et les *Autres*. Notons au passage qu'il s'agit d'une frontière générale, qui déborde largement le monde des religions : la substitution et la frontière entre les bons et les mauvais, les Nôtres et les Autres, existe aussi en matière d'organisation politique. Elle accompagne tous les totalitarismes. Peut-être est-ce le moment de nous souvenir de notre héritage darwinien : nos ancêtres ont vécu en hardes ; malheur aux membres des autres hardes !

La certitude

L'exemple et la persuasion sont les premiers modes relationnels, doux et conciliants, de la substitution. Mais attention ! Aussi conciliants soient-ils, ils reposent sur la certitude absolue de la légitimité de la substitution. La substitution s'estime être une vérité en mouvement. Mais l'ancienne foi n'était-elle pas certitude elle aussi ? Substitution, certitude nouvelle et certitude ancienne sont les socles de conflits à venir : nous avons raison et vous avez tort. Ainsi naît dans la société une fracture, celle, déjà évoquée, qui sépare *les nôtres* des *autres*. Plus totale est la certitude, plus elle est arrogante ; et plus facilement elle devient oppressive : la différence est appelée à se creuser ; elle devient un profond ravin, un chasme et un schisme.

L'appropriation de D. ; l'usurpation de l'essence divine :
l'usurpation du Nom
Cette fracture n'est pas bénigne : elle traduit l'*appropriation* de Dieu. Barnavi, et récemment Harari[3], ont noté que cette appropriation était propre aux religions monothéistes : dans les religions païennes, il est très facile d'ajouter au panthéon tribal ou national un nouveau dieu, souvent sans tension majeure, même si bien des guerres antiques ou exotiques ont eu un substratum religieux. La substitution conduit à un Dieu personnel, nouveau, que le substituant est seul à connaître et qui donc lui appartient ; désormais seul le substituant est en mesure d'appréhender le *vrai* Dieu : il se l'est *approprié*. La fracture acquiert ainsi une signification majeure : l'humanité n'est plus seulement divisée entre « les *nôtres* et les *autres* », mais entre les vrais croyants et les mécréants, les croyants et les *infidèles*. On passe de la différence à l'altérité ; et pas à n'importe quelle altérité.

Il y a plus grave : l'appropriation tend à dériver vers l'*usurpation* de l'essence divine : le fidèle se croyant absolument fidèle proclame désormais agir selon la volonté de Dieu. Et où trouve-t-il l'expression de cette volonté ? Dans son texte sacré.

---

3. Harari Yuval Noah, *Sapiens, Une brève histoire de l'humanité*, Albin Michel, Paris, 2016.

La définition de la volonté de Dieu dépend donc de sa propre lecture et de sa propre compréhension ; or c'est bien à partir de cette interprétation que le possesseur de LA foi va prétendre devenir le bras de Dieu : par transfert de l'autorité du texte à son propre esprit d'homme il entend participer à l'essence divine ; il n'agit plus en son nom propre ; il s'estime devenu une part de la Toute Puissance : *Dieu le veult*, proclame-t-il, l'épée à la main : c'est l'usurpation identitaire ultime.

Mais quel être, enraciné dans la glèbe d'où le Créateur l'a tiré, pourrait réellement prétendre à cette connaissance ? Et parmi tous les usurpateurs ultimes, lequel a raison ? Cette usurpation identitaire est l'un des plus funestes leviers de la foi. Le judaïsme et l'islam associent le Nom divin à Sa majesté[4] ; c'est pourquoi nous la dénommerons : *l'usurpation du Nom*.

Enfin l'appropriation de Dieu peut avoir un corollaire : l'appropriation du temps et donc de l'Histoire. Nous reviendrons sur ce point.

La fossilisation des textes fondateurs

L'« appropriation de Dieu » ne se fonde pas uniquement sur les prédications orales des zélateurs substituants. Elle s'appuie, nous l'avons déjà spécifié, sur un ou plusieurs textes fondateurs ; dès leur révélation puis leur rédaction définitive les clercs les fossilisent en une entité inaliénable. Or ce sont ces textes qui vont définir les bons et les mauvais, les nôtres et les

---

4. Pour le judaïsme, cette majesté est telle que le Nom est imprononçable ; il ne peut être que lu. Au contraire l'islam, en hommage à cette majesté, a multiplié les Noms divins.

autres, les croyants et les mécréants. Certains de ces textes vont, *in fine*, fixer le sort fatal de ces derniers.

Ces textes peuvent faire l'objet d'interprétations, qui cherchent à en atténuer la rigidité. Mais tant que la version primaire elle-même demeure, offerte à une lecture littérale, le danger représenté par ces textes demeure entier.

Cette fossilisation répond d'abord, à notre sens, à la noble préoccupation d'honorer et de conserver le legs de ses pères. Mais ce n'est pas tout. Elle recouvre encore deux autres préoccupations psychologiques : la recherche et la définition d'une certitude absolue d'abord, position intellectuelle confortable pour qui aspire à une vie réglée, en grande partie soustraite à la réflexion et à l'initiative. Elle exprime aussi l'angoisse du futur, contrée par une confiance absolue dans les événements et les décisions du passé, qui eux sont connus, interprétés, acquis. Au milieu de notre vie, nous connaissons le caractère de notre grand père, mais pas celui de notre petit-fils ! L'anoblissement du passé représente lui aussi un abandon à la certitude ; il est une voie ouverte vers le psittacisme et l'immobilisme : l'excès de fidélité à la pensée des pères débouche sur le refus de l'évolution, aussi bien intellectuelle que technique.

L'« altérité irréductible » et la « désaltérisation ». L'hérésie

Nous étions passés, disions-nous, d'une simple différence à une fracture, à un chasme, reposant sur une définition nouvelle de l'altérité ; celle-ci est en effet devenue totale et ineffaçable : c'est désormais une altérité « *irréductible* ». Elle est en effet devenue *anthropologique*. Ces mécréants, qui choisissent de rester en dehors du nouveau monde spirituel, du monde

17

substituant, refusent la lumière ; et puisqu'ils choisissent de rester dans le monde antérieur, le monde rétrograde, le monde des ténèbres, ils sont infréquentables, totalement infréquentables : ils sont vraiment des Autres absolus, de façon non amendable.

Ce processus intellectuel est double : en même temps qu'il frappe l'Autre d'une altérité profonde, basique, tranchée, le substituant se décerne un brevet de perfection spirituelle, qui creuse encore la fracture. Les dirigeants spirituels cathares, d'ailleurs tout à fait pacifiques, ne se faisaient-ils pas appeler les « parfaits » ?

Pour le substituant le concept d'altérité poursuit alors son évolution ; une rupture conceptuelle se dessine : l'Autre est totalement différent ; il est installé dans son altérité, qu'il ose revendiquer. Dès lors son appartenance à une humanité unique, universelle finit par s'ébrécher. Il s'amorce alors ce que nous avons appelé le processus de « *désaltérisation* ». Non, ce réfractaire aveugle n'est même plus un Autre ; son entêtement à refuser la nouvelle lumière spirituelle lui fait perdre sa qualité d'humain universel. Bientôt le susbtituant, qui l'a « *désaltérisé* »[5] lui confère un nom d'animal méprisable, comme nous le verrons plus loin. L'altérité irréductible, voie de l'effacement puis de l'annihilation, c'est-à-dire de la *désaltérisation*, est bien une caractérisation *anthropologique*.

Nous inclurons dans l'étude de la désaltérisation l'altérité féminine et le traitement de l'hérésie.

---

5. Désaltérisation, désaltériser, désaltérisé : qu'on veuille bien nous pardonner ces néologismes bien pratiques, nécessaires à notre analyse.

Le virage de l'autovictimisation

Dans le processus de la chute apparaît alors, dans tous les intégrismes que nous avons étudiés, un étonnant virage : cet Autre réfractaire, méprisé, discriminé, diminué, dépouillé de son statut d'homme, d'homme égal, devient un ennemi. Ce n'est plus lui le persécuté ; non, c'est désormais le substituant. Armé de sa foi nouvelle, de sa foi parfaite, il ne saurait tolérer devant lui des résistants. Puisque la victime résiste, elle s'est installée dans un statut hostile ; son élimination devient donc légitime. Le substituant estime avoir acquis le droit moral de massacrer les réfractaires. La chute dans l'escalier s'achève : c'est bien sa dernière marche sur laquelle le religieux s'est écrasé – encore que... encore qu'il existe une marche ultime, qu'atteignent les totalitaires politiques plutôt que les fondateurs de religion. Cette marche ultime est l'éradication totale, génocidaire, du peuple réfractaire, pour *changer de peuple*. Nous l'avons vécue au temps d'Auschwitz. Un exemple ultérieur, caricatural, en a été donné par Pol Pot au Kampuchéa révolutionnaire.

Les relations entre l'Église et l'État

Faute de puissance, une petite secte substituante aurait du mal à réaliser des massacres de masse, sauf en usant d'actions ponctuelles de terrorisme. La pleine efficacité dans le mal dépendra de la situation politique : il faut, pour que les massacres prennent de l'ampleur, que le pouvoir politique prête sa force à la foi persécutrice ; l'absence de séparation entre le pouvoir politique et le pouvoir religieux représente donc un danger considérable ; il s'est souvent manifesté au cours de l'Histoire et nous n'en sommes pas à l'abri aujourd'hui.

Nous examinerons maintenant, de façon spécifique comment les trois religions monothéistes abordent les marches successives de cette descente maléfique.

Chapitre II
Le judaïsme et l'escalier de malheur

La première marche : la théologie de la substitution

Le judaïsme a-t-il été, est-il substituant ?

Sur le plan des idées, certainement : Abraham, l'appelé de Dieu, le fondateur, a renoncé au culte des idoles et s'est ouvert à la connaissance du Dieu unique : *Leikh lekha*, va pour toi (ou va vers toi), Gn. 12 :1, dit le Bibliste : abandonne le monde païen de ta naissance, et marche en tant qu'annonciateur d'une foi nouvelle directement proclamée par ton interlocuteur divin. Abraham a bien *substitué* le paradigme d'un Dieu unique immatériel, céleste, à celui d'idoles fabriquées, proches, accessibles au toucher. Dès la Sortie d'Égypte et le rassemblement au pied du Sinaï, Ex. 19 :1+, le judaïsme biblique s'élève avec force contre l'idolâtrie. La Faute, dans le judaïsme, n'est pas la désobéissance d'Ève et d'Adam, Gn. 3 :6+. Cette faute-là est pardonnée d'emblée :

À la douzième heure il (l'homme) fut pardonné.
Lév. R. 19 :12.

Non, la vraie faute, celle qui marque de son sceau l'Histoire d'Israël, c'est la confection du Veau d'or, Ex. 32 :2 :2+, et le risque permanent de la réitérer. C'est contre ce risque de rechute dans l'idolâtrie, à l'époque séduisante pour certains en raison du culte païen des prostituées sacrées, que s'élèvent sans répit les prophètes d'Israël. Isaïe fait appel à la raison des fidèles : il se moque de l'artisan qui élabore une idole avec ses outils, puis lui rend un culte lorsque son travail est terminé, Is. 44:9-20.

La vraie substitution juive, c'est la promulgation des Dix Paroles, les Dix commandements : c'est-à-dire l'installation du monde dans l'éthique de la Loi plutôt que dans la jungle des rapports de force.

Il y a donc eu substitution ; mais elle pourrait être qualifiée, comme nous le verrons, de substitution discrète, voire secrète. Si substitution il y a eu, elle a été une substitution douce : en aucun cas, dans le judaïsme, elle n'a été impériale et impérialiste.

La certitude et le doute

Dans la Genèse, dès la création l'homme est mis en responsabilité. Au cours de l'épisode du fruit défendu, Gn. 3:5, le tentateur annonce aux transgresseurs que leur transgression même les fera changer de statut : « Vous deviendrez des Puissants[6], connaissant le bien et le mal », Gn. 3:5. Le libre arbitre est ainsi introduit dans les capacités initiales de l'essence humaine. Car qu'est le libre arbitre, sinon la capacité de décider, après une phase de doute, avec plus ou moins de pertinence, ce qui est bien plutôt que mal ? À chaque instant de sa vie, l'humain, dans son nouveau statut de créature désobéissante et donc autonome, va être appelé à peser le pour et le contre. Il n'est plus une simple marionnette programmée pour obéir à un code législatif prédéterminé ; il est devenu un être de responsabilité : quel pouvoir ! Malheur à lui s'il oublie cette étape fondatrice de sa conduite : il est alors sur la pente de l'intégrisme.

---

6. Elohim : c'est l'un des noms de Dieu, Dieu le Tout puissant plutôt que Dieu le Miséricordieux.

Le destin d'Abraham, exprime, dans ce cadre, la capacité de l'humain à douter : voici que Dieu lui annonce sa décision d'éradiquer les Sodomites, essence même du mal sur la terre. Et Abraham, en soulignant qu'il n'est, face à son Créateur, que *poussière et cendre, éfér veafar* en hébreu, ose, au nom de l'équité, mettre en doute la légitimité de la décision divine : « Vas-Tu anéantir le juste avec l'injuste ? » Gn. 18 :23+. Et il entame avec son Maître suprême un véritable marchandage, pour tenter de sauver quelques justes. Mais en Sodome il n'y en a pas. Notons, et nous aurons l'occasion d'aborder à nouveau ce sujet, que l'islam fait d'Abraham le modèle de la résignation et de l'obéissance à Dieu ; dans la tradition biblique c'est justement ce qu'il n'est pas, et c'est son honneur absolu. En nous relatant cet épisode le Bibliste a introduit la rébellion, quintessence du doute, dès ses premières pages. Dans le judaïsme, la rébellion en faveur de la justice est une mission dévolue à Sa créature par le Créateur. Nous reviendrons, à propos de la fossilisation des textes, sur l'institution profonde, salvatrice, du doute dans l'esprit juif. Le rappel de ce plaidoyer d'Abraham soulève une question : pourquoi le patriarche n'a-t-il pas plaidé avec autant de force en faveur de son fils, menacé d'assassinat sacrificiel ? Sans doute parce que deux plaidoyers successifs eussent institutionnalisé la rébellion, au lieu de la laisser à son niveau : celui d'une simple opportunité[7].

---

1. Nous avons consacré le premier chapitre de notre livre : *Judaïsme, christianisme, islam – Lire la Bible après le Shoah* (L'Harmattan, 2015) au silence d'Abraham devant le terrible ordre divin de sacrifice filial.

L'appropriation de Dieu

Voici que par bénédiction divine les juifs vont échapper à l'escalier maléfique. Pourquoi ? Comment ? Leur théologie de substitution est discrète et douce, nous l'avons dit ; elle l'est en vertu du processus de l'Élection divine, qui exclut toute appropriation. Dès le récit de la création, apparaît le premier élément d'une l'Alliance entre le Créateur et l'homme : les plantes ont été créées, mais :

> Aucun produit des champs ne paraissait encore sur la terre, et aucune herbe des champs ne poussait encore ; car L'Éternel Dieu n'avait pas fait pleuvoir sur la terre, et d'homme, il n'y en avait pas pour cultiver la terre, Gn. 2 :5.

L'homme est donc bien inclus dans le dessein du Créateur. Puis les conditions de l'Alliance se précisent : Dieu va fournir tout ce qui est nécessaire à la vie agricole, terre, soleil et pluie ; en échange l'homme devra s'installer une société organisée par la Loi, la Torah (Dt 6 :1-9).

Notons en passant que la cogérance dans l'Alliance suppose la responsabilité. L'homme doit prendre soin de la terre et non l'épuiser ; à partir de ce verset de l'Ecclésiaste :

> Regarde l'œuvre de Dieu : qui pourrait redresser ce qu'Il a tordu ? Eccl. 7 :13,

La tradition orale a proposé cette interprétation :

> Vois Mon œuvre… Fais attention de ne pas abîmer et détruire Mon monde, car si tu le détériores, il n'y aura personne après toi pour le réparer… Koh R., voir 7 :13[8].

---

8. *Midrach Raba Koh.*, Éd. Soncino, tome VIII, p. 195.

L'institution du petit et du grand Jubilé protège les sols agricoles ; elle empêche la constitution de grands domaines, et donc l'agriculture intensive.

Les dispositions cultuelles qui limitent à quelques espèces la consommation de viande protègent la biodiversité ; l'obligation d'un abattage rituel rend inutilisable un gibier tué à distance : la Torah décourage la chasse et la remplace par l'élevage. L'observance de ces lois cultuelles eût rendu impossible le massacre des bisons, des baleines et des requins. Contrairement à ce que croient les prêtres de la nouvelle religion verte, la Bible hébraïque institue une vision écologique du monde et de son exploitation.

Revenons à l'Élection.

L'observance de la Torah s'y inscrit :

> Quelle divinité entreprit jamais d'aller se chercher un peuple au milieu d'un autre peuple ? Dt. 4 :34

> Je vous prendrai pour peuple et je deviendrai votre Dieu, Ex. 6 :7.

> Tu diras au Pharaon : ainsi parle l'Éternel : « Israël *beqori* », Israël Mon aîné, Ex 4 :22.

> ISR est mon fils, je l'ai engendré Ps 2 :7

L'image particulière de l'Élection serait incomplète sans deux extraordinaires passages prophétiques :

> Tu diras : ainsi parle le Seigneur Dieu à Jérusalem : le lieu de ton extraction et ton pays natal c'est la terre de Canaan. Ton père était Amorhéen et ta mère Hétéenne. Quant à ta naissance, le jour où tu fus enfantée, ton cor-

don ne fut pas coupé, tu ne fus pas lavée dans l'eau pour y être purifiée, tu ne fus pas saupoudrée de sel ni enveloppée dans des langes. Nul œil ne te prit en pitié pour te donner aucun de ces soins par compassion pour toi ; tu fus jetée au milieu des champs par suite de la répulsion que tu inspirais le jour où tu naquis. Mais Je passai près de toi, Je te vis t'agiter dans ton sang et *Je te dis : Vis dans ton sang, et Je te dis : Vis dans ton sang.* Je t'ai multipliée comme la végétation des champs, tu as augmenté, grandi, tu as revêtu la plus belle des parures...
Ez. 16 : 3-7

Et :

Sion avait dit : l'Éternel m'a délaissée, le Seigneur m'a oubliée. Est-ce qu'une femme peut oublier son nourrisson, ne plus aimer le fruit de ses entrailles ? Fût-elle capable d'oublier, Moi Je ne t'oublie pas. *Oui, j'ai gravé ton nom dans la paume de Mes mains,* tes remparts sont constamment devant Mes yeux, Is. 49 : 14 : 16.

Voilà donc atteint, dans le cadre de la cogérance de la création, un équilibre entre le divin et l'humain, admirable compromis entre l'Amour et l'obéissance. On pourrait donc s'attendre, à ce que cet équilibre débouche sur une diffusion imposée des termes de l'Alliance. Ce lien si fort, ce lien charnel s'accompagne bien d'une mission : est-ce d'installer cette obédience sur toute la terre, au fil de l'épée si nécessaire ? Mais non. Cette mission est seulement d'être, *par l'exemple,* un *témoin* de la Parole divine :

Vous êtes Mes témoins, Is. 43 : 12.

De quoi les Hébreux doivent-ils témoigner ? Tout simplement de l'éthique de la Torah[9], et d'abord du Décalogue. Si l'on prend soin de lire ces Dix Paroles, ou Dix commandements, avec dans l'esprit le souvenir des grands dictateurs du XXe siècle, on s'aperçoit que chacune de ces Dix Paroles préconise le contraire des principes totalitaires de gouvernement.

Israël est porteur d'une lumière, que chacun est libre d'allumer à son tour. Le texte accorde à l'Autre son libre arbitre. L'Autre, reste en toutes circonstances un égal absolu. C'est ce qu'exprime ce verset :

> Tu aimeras ton prochain comme toi-même, Lév. 19 :18

Comme toi-même : tout sentiment de supériorité t'est donc interdit. Et le mot *comme* signifie que tu dois accepter ton prochain comme un autre toi-même, avec ses propres opinions. Si l'Élection est une séparation, par et pour la sainteté, elle ne compromet en rien la liberté de l'Autre.

Il nous est désormais possible d'avancer cette conclusion : en aucun cas le judaïsme ne s'est livré à une appropriation de Dieu. Cette proposition est confirmée par le chapitre IV du prophète Michée :

> À la fin des temps… Oui, tous les peuples marcheront (vers la montagne de Sion), *chacun au nom de son dieu*, et nous nous marcherons au Nom du Seigneur notre Dieu – toujours et à jamais. Mic. 4 :1-5.

Chaque peuple a donc la liberté de choisir sa voie propre vers le sacré. Chacun conçoit de façon personnelle l'idée de Dieu. Ce paradigme a une conséquence : l'Élection a pour

---

9. *Cf.* notre livre : *L'Éthique juive en Dix paroles*, éd. MJR, Genève, 2006.

instrument une alliance dont l'élu va témoigner. Chaque spectateur du témoignage est libre d'en faire son miel, ou pas. Le judaïsme ne cherchera jamais à s'imposer ; il rejette le prosélytisme, tout en admettant la conversion. La sainteté relève de l'exemple, non d'une obligation imposée.

Il nous est désormais possible d'avancer cette conclusion, que nous avions annoncée : en aucun cas le judaïsme ne s'est livré à une substitution directive avec appropriation de Dieu – du moins le vrai judaïsme, le judaïsme intelligent, le judaïsme fondé sur l'étude ouverte de la tradition orale. Quant à celui des barbus hyperpiétistes…

La fossilisation des textes fondateurs

Si vous demandez à un rabbin orthodoxe s'il est possible de changer le texte de la Torah, terme qui recouvre l'enseignement et la Loi juives, il vous répondra que c'est impossible : non, on ne peut rien y changer, même pas une lettre ; non vraiment : peut-on changer ce que Dieu a lui-même gravé pour le confier à Moïse ? Le Créateur de toute chose n'a-t-il pas ordonné Lui-même :

> N'ajoutez rien à ce que Je vous prescris et n'en retranchez rien… Dt. 4 :2 ?

Il y a donc bien eu une fixation immédiate, gravée dans la pierre, fossilisée. Mais les Docteurs de la Loi nous disent, car seules les consonnes sont écrites : RhRT. Ne lis pas, *Rharat*, graver, mais *Rherout*, liberté[10]. La plupart de leurs successeurs n'ont gardé que le souvenir de *Rharat* et non celui de *Rherout*.

---

10. Zohar, Tetsavé 183a.

Car les choses sont loin d'être aussi simples. La tradition orale, sur laquelle nous reviendrons dans un instant, nous dit que la Torah a préexisté au Sinaï ; elle a servi de bleu d'architecte au Créateur (Gn. R. 1 :1) : elle faisait donc partie de la sphère céleste avant même la Création.

Inversement une grande partie du canon Biblique est tardive : David, s'il est bien l'auteur des Psaumes, a composé il y a environ trois millénaires, bien après la révélation sinaïtique. Les grands prophètes, Isaïe, Jérémie, Ezéchiel, ont clamé leur parole aux environs du – VIIᵉ siècle ; et pourtant leurs écrits font partie de la Torah.

De toute façon il se pose un autre problème encore : la langue hébraïque, véhicule exclusif de la Torah[11], est apparue bien après l'époque de la Sortie d'Égypte et du Sinaï. Moïse et ses compagnons parlaient l'Égyptien antique. Il y a donc eu un nécessaire travail d'adaptation à la fois phonétique et sémantique au cours de la théophanie sinaïtique. C'est peut-être la vraie raison de l'étrange engagement des Hébreux au pied de la montagne : « *nassey ve nichma*, nous ferons et nous écouterons », Ex. 24 :7 : ils ne pouvaient écouter immédiatement, dans une langue qu'ils ne comprenaient pas.

Rherout, la liberté : c'est une liberté mal comprise et mal utilisée qui a conduit au veau d'or : les Hébreux avaient-ils seulement compris l'interdiction de l'idolâtrie formulée dans la Loi nouvelle ? De la même façon, Caïn, le premier meurtrier, était juridiquement vierge : il ne savait pas ce qu'était la mort et personne n'avait encore interdit de tuer…

---

11. Sauf pour certaines parties du Livre de Daniel, écrites en araméen.

Les textes les plus anciens de la Torah sont ceux trouvés dans les grottes de la mer Morte. Ils datent probablement de l'époque de la guerre avec les Romains, à la fin du Iᵉʳ siècle, peut-être d'un peu avant. Ils sont peu différents de nos textes actuels, dits « massorétiques », obéissant, à la tradition, *massorah* en hébreu. Dans la datation des textes la nature des caractères d'écriture est fondamentale. Les discussions des paléographes et des archéologues occupent des bibliothèques entières dont nous serions bien incapables de citer tous les composants. Mais un consensus s'est fait (à peu près) pour retenir que des éléments oraux ont été fixés à partir de l'époque du roi Josias, au – VIIᵉ siècle. La composition du texte massorétique et son écriture sont probablement contemporains de l'Exil à Babylone, au – VIᵉ siècle. L'écriture des scribes, dite « carrée » ou « assyrienne », celle que nous utilisons aujourd'hui encore, aurait été inspirée par la géométrie des caractères cunéiformes[12]; les livres bibliques d'Esdras et de Néhémie (– Vᵉ siècle) permettent de penser que la préservation et la transmission des textes ont souvent été incertaines. Par contre, nous disposons, à partir de la période dite « intertestamentaire », d'éléments d'authentification : des traductions très fidèles en araméen (alors que la traduction grecque, dite des Septante, relève plus d'une fois de l'adaptation plutôt que de la traduction).

La vision rabbinique traditionnelle, celle de la révélation immédiate d'un texte fixé dès l'origine, n'est donc pas défendable.

---

12. Cohen Joseph, *La fabuleuse histoire de l'écriture hébraïque*, Éd. du Cosmogone, Lyon, 1999.

Mais cela n'a pas d'importance, pour deux raisons.

La première est que ce texte, quelle que soit sa composante mythique, est solide et cohérent, en dépit de ses contradictions et ses invraisemblances. Toutes sortes d'interprétations et de modes analytiques attestent, non d'une architecture disparate, mais au contraire d'une unité finale très spécifique du texte biblique. Que l'on songe par exemple à toutes les correspondances numériques mises en lumière par les cabalistes. Le croyant peut donc considérer qu'autour d'un noyau transmis à Moïse, tout en ensemble d'inspirés, scribes, rabbins, commentateurs, habités par l'Esprit saint, a bâti un ensemble aussi cohérent que s'il avait été entièrement gravé, *rharat*, par le doigt du Créateur... qui n'a ni main ni doigts.

Mais encore... tout a été préparé pour s'approcher de ce monument pétrifié et gravé, armé des instruments du tailleur de pierre.

La Torah orale

Oui, du tailleur de pierre ! Car le judaïsme, tout en proclamant haut et fort l'inaliénabilité du texte de la Torah, s'est donné des outils pour l'adapter sans cesse : il existe, à côté du monument premier, celui de l'Écrit, un second monument : la Torah orale. La Torah orale est une sorte de miroir de la Torah écrite. Non pas un miroir déformant ; mais souvent un miroir « re-formant » pour ne pas dire réformateur.

La Torah orale, le Talmud, de la racine LMD, apprendre, avec ses deux composantes, la *Michna* et la *Guemara*[13], n'est pas

---

13. Michna : la répétition de la loi ; Guemara : l'achèvement, par la discussion et le raisonnement.

seulement un immense corpus de dispositions juridiques et de commentaires abordant tous les sujets, de la médecine à la philosophie, en faisant appel au raisonnement logique. C'est une autre Torah, qui fait partie de la première. C'est un monument récent, dont l'élaboration a commencé au −IIᵉ siècle pour se poursuivre au moins jusqu'au VIIᵉ siècle, essentiellement en Babylonie. Mais le monde rabbinique a choisi, pour mieux le valider, de considérer sa dévolution comme contemporaine de celle de la Torah écrite : pendant les quarante jours de son séjour théophanique céleste, Moïse a reçu le jour l'Écrit et la nuit l'Oral. Passé, futur et présent ont donc coexisté dans le creuset sapientiel. Qui s'en étonnerait ? Qu'a répondu le Créateur à Moïse qui s'inquiétait de la façon de L'évoquer parmi les siens, Ex. 3 :14 ?

Voici ce que tu diras : *Ehyéh achér ehyéh.*

Je serai Celui Qui sera, ce qui, selon la grammaire biblique antique signifie tout autant : « Je suis Qui Je suis » et « J'ai été Qui J'ai été » : dans l'Éternité, passé, présent et futur ne sont que des conjugaisons permanentes des mêmes événements.

La Torah orale, réputée sinaïtique, décrit elle-même sa transmission :

> Moïse a reçu la Tora du Sinaï et l'a transmise à Josué. Josué l'a transmise aux Anciens, et les Anciens aux Prophètes ; ceux-ci l'ont transmise à leur tour aux hommes de la grande Assemblée, P. Av. 1 :1.

Transmise : non comme une solive de bois ; mais comme un bien intellectuel : une série aussi distinguée d'érudits, dont les lignées s'enrichiraient encore, ne pouvait transmettre ce bien commun sans le développer.

Oui, les rabbins du Talmud ont eu l'intelligence d'adopter une attitude schizophrénique. Ils ont ordonné la fidélité absolue à un texte fixé et fossilisé ; mais en même temps ils se sont donné le moyen du changement : la Torah orale. Il existe dans cette tradition orale une bonne demi-douzaine d'exemples de cette souplesse agissant sous le masque d'une rigidité affichée. Nous n'en expliciterons qu'un : celui qui concerne la terrible épreuve des eaux amères, véritable ordalie censée prouver, par la résistance au poison, l'innocence d'une femme accusée d'adultère. Il s'agit d'une loi toraïque, d'une validité absolue comme toutes les lois de la Torah (Nb. 5:11-28 ; traité talmudique Sota). Voici comment, à la fin du traité Sota, un décisionnaire renommé a mis fin à cette terrible pratique :

> Ce fut R. Yohanan ben Zakaï[14] qui fit interrompre cet usage en se fondant sur un verset d'Osée (4:14) : « Je ne châtierai pas vos filles quand elles se prostitueront » (J. Sota 9:7 ; B. Sota 47a).

Les décisionnaires d'aujourd'hui savent-ils être aussi audacieux ? Hélas non.

L'usurpation du Nom

Pour un certain nombre de rabbins piétistes la Torah exprime tout simplement la volonté divine ; par conséquent, ces rabbins affirment connaître cette volonté : ils entrent dans ce que nous appelons *l'usurpation du Nom*. Ce faisant ils déduisent des lois principales toutes sortes de dispositions légalistes annexes, de plus en plus détaillées et de plus en plus détachées de la réalité de la vie. D'un volume de Dalloz[15] toraïque ils en

---

14. Le fondateur de l'académie de Javné après la destruction du Temple en 70.
15. Le « Dalloz » est la « Bible » des juristes français.

composent dix, puis cent en tombant souvent dans un irréel ridicule : triomphe du raisonnement et faillite de la raison. Nous ne citerons qu'un exemple de cette dérive cultuelle. : les hyperpiétistes de notre famille, face à l'interdiction sabbatique de porter, cousaient la veille leur mouchoir à leur poche ; il faisait alors partie de leurs vêtements, dont le port est autorisé. Osent-ils aujourd'hui porter un mouchoir en papier ? Nous l'ignorons. Le Zohar[16] nous dit que tous les jours le Seigneur va rencontrer les justes au jardin d'Éden pour discuter avec eux. Entre Lui et Moïse il doit y avoir à ce propos quelques beaux instants d'hilarité. Le prophète Isaïe avait prévu cette dérive. Voici ce qu'il a écrit :

> Mais ils n'ont pas voulu écouter ; mais la parole du Seigneur n'a été pour eux qu'ordonnance sur ordonnance, ordonnance sur ordonnance, ligne sur ligne, ligne sur ligne, vétille sur vétille ; c'est pourquoi en marchant ils trébuchent en arrière, se brisent, se piègent et s'emprisonnent. Aussi, hommes de raillerie, écoutez la parole du Seigneur, dirigeants de ce peuple qui est à Jérusalem, Is. 28 :13-14.

Comme nous le verrons un peu plus loin, les sages du Talmud ont rédigé une ordonnance de vaccination contre ce courant d'observance décalée, en se fondant sur le psaume XV.

Torah écrite et Torah orale : certitude et doute

C'est le moment d'examiner la façon dont doute et certitude s'articulent dans le judaïsme. La certitude nous la trouvons

---

16. Le Zohar, le « Livre de la splendeur » est le texte central de la Cabbale. Les traditionalistes le font remonter à R. bar Zohaï (Iᵉʳ siècle). En fait, même si ses racines sont anciennes, il a été rédigé au XIVᵉ siècle, en Espagne, par Moïse de Léon.

dans l'application des lois cultuelles, notamment alimentaires : quel juif croyant et observant s'aventurerait à déguster du porc ? C'est simple, son esprit et son tube digestif ont été formatés à ce point qu'il ne pourrait absorber la viande défendue même au cours d'une famine, même si c'était la dernière source disponible de calories : de cette certitude ont joué les tortionnaires païens de la Palestine grecque antique et les tortionnaires catholiques de l'inquisition. Pour un suspect emprisonné, refuser du porc, c'était reconnaître son statut de marrane ou de « relaps »[17], et donc accepter le bûcher.

Oui, mais… la loi toraïque, à un moment de la longue histoire des persécutions anti-juives[18] a prévu de réglementer le martyre : devant les chantages et les menaces de leurs persécuteurs, trop de juifs se laissaient tuer, alors que la vie est un don inaliénable du Créateur. La loi n'a retenu que trois cas dans lesquels le fidèle a le droit de se laisser imposer la mort : l'obligation imposée au persécuté de participer à des sacrifices idolâtres ; l'obligation faite au persécuté de commettre un crime sexuel ; celle enfin d'accepter de commettre un meurtre imposé (B. Yoma 82a ; B. Pess. 25a). Dans ces trois cas, la mort acceptée au nom de l'obéissance à la Tora représente une « sanctification du Nom », un *quidouch hachem* en hébreu. Le martyr ne met en jeu que sa vie propre de persécuté, comme le martyr chrétien. L'idée d'un martyr meurtrier pour les autres est totalement étrangère au judaïsme. Mais la

---

17. Marrane, litt. porc en espagnol : juif occulte ; relaps : converti de force convaincu de retomber dans son hérésie.
18. Lors de l'occupation grecque de la terre sainte, sous Seleukos Nikator, lieutenant d'Alexandre le Grand, au – IIIe siècle.

consommation imposée d'aliments non cultuels, impurs, « *taref* »,
ne fait pas partie de ces cas d'acceptation du martyre.

CERTITUDE ET DOUTE : QUELQUES « MIDRACHIM »
(PARABOLES TALMUDIQUES)

Lisons, pour nous faire une opinion sur la certitude et le doute
dans le judaïsme, deux paraboles talmudiques, des « *midrachim* », pluriel de *midrach*. Dans ce mot de *midrach* se reconnaît
la racine *DRCh*, chercher : un midrach, c'est une parabole dont
il faut rechercher le sens. Nous commencerons par le midrach
du four de R. Eliézer., qui ne peut s'aborder que si l'on se rappelle des versets du Deutéronome (30 :11-12) :

> Car cette loi que Je t'impose en ce jour elle n'est ni
> trop ardue ni placée trop loin. Elle n'est pas dans le
> ciel, pour que tu dises : qui montera pour nous au ciel
> et l'ira quérir ?

Le four de R. Eliézer

Était-il pur ou impur ? Impur pour R. Eliézer, pur pour ses
collègues.

R. Eliézer formula toute une série d'objections et de
démonstrations. Les Rabbins exprimèrent leur désac-
cord. Alors il dit aux Sages : si la Loi est bien comme
je dis, ce caroubier le prouvera. Et le caroubier fut déplacé
de cent coudées. Les rabbis dirent. Ce caroubier ne
prouve rien. R Eliézer dit alors : si mon interprétation de
la Loi est juste, que l'eau de ce canal inverse son courant. Et le courant s'inversa. les Rabbins dirent : le canal
ne prouve rien. Si mon interprétation est juste, que les

murs de cette maison le proclament! Les murs s'incli-
nèrent, au bord de l'écroulement, quand R. Josué, le
contradicteur de R. Eliézer (dont le caractère entier était
connu) apostropha les murs, leur disant: quand les Sages
discutent la Loi, de quoi vous mêlez-vous? Les murs ne
s'écroulèrent pas par respect pour R. Josué, mais ne se
redressèrent pas pour ne pas offenser R. Eliézer. Ils sont
encore inclinés aujourd'hui. R. Eliézer reprit: que le Ciel
décide. On entendit alors une *bat kol,* une fille de la voix
(une voix céleste) disant: R. Eliézer a raison! R. Josué
protesta, puisqu'il est dit (Dt. 30:12): la Tora n'est pas
au ciel. Ce que R. Josué voulait dire a été expliqué par
R. Jérémie: nous n'avons pas à tenir compte d'une voix
céleste, puisqu'il est dit (Ex. 23 h 2): il faut se ranger à
l'opinion de la majorité. Plus tard R. Nathan rencontra
le prophète Elie et lui demanda: qu'à dit le Saint béni en
entendant R. Josué contester une voix céleste? Elie
répondit: Dieu a souri et dit: mes enfants m'ont vaincu,
mes enfants m'ont vaincu » (B. Bab. Metz. 59b).

Voici des talmudistes qui osent dire à Dieu de ne pas se mêler
des affaires terrestres! On est bien loin de l'orthodoxie fossilisée; c'est là une position discursive typique de la loi orale.
Elle a une très grande importance. Non seulement parce
qu'elle montre qu'il n'y a pas de vérité dogmatique dans le
judaïsme, et que la liberté d'expression y est totale; l'inquisition a brûlé pour beaucoup moins. Mais aussi par l'importance
que ce texte donne à l'homme, véritable partie prenante de
l'Alliance. Dans les religions où Dieu est tout, et l'homme
peu de chose, la vie de ce dernier a peu de prix.

Voici un autre exemple d'audace talmudique anti-dogmatique :

Le midrach de la grotte

À la suite des persécutions romaines, recherchés par la police politique du « Gauleiter » romain (le procurateur), R. Simon et son fils Eléazar avaient dû chercher refuge dans une grotte :

Il y eut un miracle : un caroubier et un puits furent créés pour eux. Ils enlevaient leurs vêtements et se couvraient de sable. Ils étudiaient la journée entière ; pour prier ils s'habillaient, puis se dévêtaient à nouveau pour ne pas les user. Ils habitèrent douze ans dans leur grotte. Alors Elisée (le prophète) vint, se tint à l'entrée de la grotte et s'écria : qui informera le fils de Yohaï que l'empereur est mort et que son décret est annulé ? Alors ils sortirent ; ils virent un homme qui labourait et semait. Ils s'exclamèrent : ils abandonnent la vie éternelle et s'engagent dans la vie temporelle ! Et quoiqu'ils regardent était immédiatement consumé. Une Fille de la Voix se manifesta et cria : êtes-vous sortis pour détruire mon monde ? Retournez à votre grotte ! Ils y retournèrent douze mois et dirent : le châtiment du méchant en Géhenne est de douze mois. Une Fille de la voix se fit entendre et dit : quittez votre grotte. Quand le regard de R. Eléazar blessait, celui de R. Simon guérissait. Il lui dit : mon fils, toi et moi nous suffisons au monde... » (B. Chab. 33b).

Douze années d'étude, douze années consacrées à la seule spiritualité et au seul juridisme, douze années sans contact avec leurs congénères, avaient complètement déséquilibré ces esprits supérieurs qui ne connaissaient plus que la rigueur de la Loi et son imparable logique. Et que leur dit le Saint, béni soit-il : « Êtes vous sortis pour détruire Mon monde ? »

L'étude trop isolée des problèmes de la vie terrestre fait accéder à un espace dangereux : un espace théorique, artificiel, inaccessible au raisonnement et au pardon. C'est le Créateur de la Loi Lui-même qui met en garde ces purs esprits, érudits comme personne, contre l'intégrisme issu d'un certain mode d'observance. Ce *midrach* est un avertissement à tous les hyper-piétistes… qui bien sûr évitent de le lire et de le méditer. L'observance ultra-minutieuse, l'observance pour l'observance, que nous avons vue à l'œuvre dans une partie de notre famille paternelle, ne fait plus partie du vrai judaïsme. C'est la tradition orale, la vraie, l'intelligente qui nous met en garde contre la chute dans l'intégrisme.

Mais nulle part sans doute le doute et le questionnement n'ont été exprimés avec plus de force que dans ce court passage du Zohar :

> Si bien que donner à chacun, juste et injuste, Sa miséricorde est aussi difficile pour Lui que de diviser la mer Rouge, Zoh. tome III, Terumah, 170a.

Que signifie ce passage ? Que lorsqu'Il nourrit l'aigle, le Seigneur doit accepter que meure l'une de Ses créatures, marmotte ou lapin. Que l'antilope ne peut survivre si le lion est affamé. Que lorsque le Tout-puissant divise les flots de la Mer rouge pour sauver Son peuple, le pêcheur qui lançait son filet à cet endroit précis est perdu ; et que l'étoile de mer, bien à l'aise sous des brasses d'eau salée, va mourir sur le sable desséché désormais exposé aux rayons du soleil : chaque décision du Seigneur implique du bon et du mauvais, de la justice et de l'injustice. Aucune n'est simple. La volonté du Seigneur ne peut être que fluctuante selon Son analyse immédiate du bien et du mal, du nécessaire et de l'accessoire : connaître cette volonté est impossible. Le doute et le questionnement sont inévitables : ils habitent l'Esprit saint lui-même. L'usurpation de l'identité divine, l'usurpation du Nom est une démarche présomptueuse, dépourvue de fondement réel : un mirage, un mirage dangereux.

Le midrach de la tente

C'est le moment de prendre connaissance d'un troisième midrach, celui de la Tente du Seigneur, inspiré par le psaume XV.

Avant d'en lire quelques mots, rappelons-nous ce qu'est l'observance juive : celle de 613 commandements négatifs et positifs dénombrés dans la Torah ; auxquels s'ajoutent les « barrières » complémentaires instaurées par la loi orale ; non pas seulement la mise au ban alimentaire du porc, mais des règles détaillées concernant tous les aspects de l'alimentation : l'abattage rituel, d'autres spécifications à l'égard des espèces consommables, et l'interdiction minutieuse du mélange des aliments carnés et lactés. Et tant d'autres !

Et puis il y a aussi les nombreux commandements concernant l'observance du jour de repos du *chabat*, le septième jour, et d'autres concernant les fêtes, comme Pâques, ou le jour de jeûne du pardon, de Kipour… Osons paraphraser Obélix[19] : il faut être tombé dans cette potion biblique à la naissance pour être capable d'en observer tous les composants. L'observance devient alors une activité à plein-temps, qui vit pour elle-même

---

19. Dont le créateur, Goscinny, était juif.

et par elle-même, effaçant toute autre préoccupation. On n'est alors pas loin du principe de Peter[20], celui d'une administration dont la seule tâche est désormais de s'administrer elle-même...

Or voici un texte biblique qui dit tout le contraire.

> Seigneur, qui séjournera sous Ta tente ? Qui habitera sur Ta montagne sainte ? Celui qui marche intègre, pratique la justice et dit la vérité en son cœur. Ps. 15 :1-2

Les commentateurs retiennent finalement ce verset comme le fondement de la relation de l'homme avec Dieu, comme l'atteste ce passage du Talmud :

> Si Moïse a énoncé six cent treize commandements, David (en a énoncé) seulement onze, en réponse à cette question : qui séjournera dans Ta tente, Seigneur ? Celui qui marche intègre, pratique la justice et dit la vérité de tout son cœur, n'a pas de calomnie sur la langue, ne fait aucun mal à son semblable et ne profère pas d'outrage envers son prochain ; qui tient pour méprisable quiconque mérite le mépris mais honore ceux qui craignent l'Éternel ; celui qui, ayant juré à son détriment ne se rétracte pas ; qui ne place pas son argent à intérêt et n'accepte pas de présent aux dépens de l'innocent (Ps. 15 :1-5). R. Gamaliel pleurait à la pensée qu'il lui fallait accomplir tant de choses pour ne pas chanceler. On lui répondit : (est-il dit) celui qui accomplit *toutes* ces choses ? Il est écrit : celui qui accomplit *ces* choses, ne serait-ce qu'une seule d'entre elles... Amos vint et réduisit ces commandements à un seul : « Ainsi dit l'Éternel

---

20. Laurence J. Peter et Raymond Hull, *Le Principe de Peter*, Paris, Stock, 1970.

à la maison d'Israël : recherchez-Moi et vous vivrez »
(Am. 5 :4). Rav Nahman ben Isaac fit l'objection suivante : (il faut lire) recherchez-Moi *à travers* l'observance
de la Tora ; mais il faut (finalement) répondre : Habacuc
est venu et réduisit ces Lois à une seule : comme il est
dit : « Le juste vivra par sa foi » (Hab. 2 :4) (B. Mak. 24a).

Il y a donc eu, parmi les sages du Talmud, un courant prêt à
s'éloigner de l'observance multifactorielle ; un courant ouvert
aux mécréants, considérés avec indulgence et non réprobation.
Un courant fort minoritaire, que la plupart des piétistes juifs
ont choisi de ne pas connaître. Pourquoi ce courant ? Sans
doute en raison des ravages de l'orthodoxie : celle des « zélotes »
a été à l'origine de la rébellion contre les Romains, rébellion
folle, promise à l'échec dès la première minute. Lorsqu'on dispose de la puissance du grand-duché du Luxembourg, on ne
s'attaque pas impunément à la plus grande puissance militaire
du monde. Les zélotes étaient persuadés de la sainteté de leur
cause, trop persuadés : on ne peut mettre Dieu en demeure de
vous sauver sans tomber dans le blasphème. Ils se sont engagés dans une voie sans issue. Les juifs de l'antiquité l'ont
payé de leur vie, après les terribles souffrances du siège de
Jérusalem et de la bataille de Bétar ; nous en vivons les conséquences aujourd'hui encore.

Voici un dernier exemple de la complémentarité de la loi écrite
et de la loi orale. La loi écrite prescrit la lapidation du couple
adultère :

> Si un homme commet un adultère avec la femme d'un
> autre homme, avec la femme de son prochain, l'homme

et la femme adultères doivent être mis à mort l'un et l'autre (par lapidation), oui ils mourront, Lév. 20 : 10.

Mais dans les faits la loi orale a supprimé la peine de mort : Un tribunal qui condamne à mort une fois en sept ans est un tribunal sanguinaire. R. Eléazar ben Azaria a dit : une fois en soixante-dix-sept ans. R. Akiba et R. Tarfon ont dit : si nous avions été membres du tribunal personne n'aurait été condamné à mort. R. Simon ben Gamaliel rétorqua : s'ils avaient fait ainsi ils auraient augmenté le nombre des assassins, J. Mak. 1 : 8.

Plus de peine de mort ? Alors plus de lapidation : une fois de plus la souplesse de la loi orale corrige la rigueur implacable de la loi écrite ; la modernité évolutive assouplit la fossilisation antique.

Ainsi le judaïsme chemine-t-il sur deux jambes, semblables mais différentes. En essayant de concilier le grain de sable et l'espace céleste, le particulier et l'universel, le profane et le sacré, la rigueur et la miséricorde, le Jugement et le pardon, sa démarche peut paraître hésitante, voire cahoteuse. Mais cela lui évite de courir ; de courir à sa perte, en dévalant l'escalier du malheur. C'est le danger qui guette les rabbins rédacteurs de vétilles : ils marchent à cloche-pied, tombent et dévalent au moins quelques-unes des marches maléfiques.

Cette association unique d'une loi écrite et d'une loi orale a été salutaire, et, dans les religions monothéistes, c'est une disposition sans égale. Hasard de l'Histoire ou intelligence rabbinique, à laquelle a participé le *rouarh haqadoch*, l'Esprit saint ? Nous penchons pour la seconde hypothèse.

Cette association de la certitude et du doute permet de consi-dérer avec une certaine indulgence les scories de la Torah écrite – car il y en a – et comment s'en étonnerait-on en se rappelant son caractère antique ?

En voici quelques-unes, et d'abord la fin du chapitre 31 du livre des Nombres qui rapporte une campagne punitive contre les Madianites :

> Moïse se mit en colère contre les officiers... et leur dit : Quoi ! Vous avez laissé vivre toutes les femmes ?... et maintenant tuez tous les enfants mâles, et toutes les femmes ayant connu un homme, tuez-les ! Nb. 31 :14-17.

Voici notre Maître Moïse pris en flagrant délit de crime de guerre ; et en transgresseur absolu des principes mêmes de la Torah. Tout le chapitre dix-huit d'Ezéchiel est consacré aux principes de la justice ; le méchant est condamné pour ses méfaits, mais pas l'innocent :

> C'est la personne qui pèche qui mourra... Ez. 18 :20.

La mise à mort d'un innocent pour des raisons idéologiques, même suggérées par le Seigneur, est donc bien un assassinat. Et encore le méchant peut-il se repentir :

> Si le méchant revient de toutes ses fautes qu'il a com-mises... il vivra et ne mourra pas, Ez. 18 :21.

De plus, dans la tradition orale un texte met en scène la cour céleste au moment où Agar, la concubine d'Abraham expul-sée par Sarah, va mourir de soif dans le désert avec son fils Ismaël. Les anges protestent auprès du Seigneur qui fait surgir de l'eau pour les voyageurs en perdition :

— Quoi, Seigneur, tu vas sauver un homme qui apportera tant de souffrances à Ton peuple ?

Et le Seigneur répond :

Je juge les hommes pour *ce qu'ils sont maintenant* et non pour ce qu'ils seront plus tard, Ex. R. 3 :2.

C'est là un principe fondamental : l'intention, surtout lorsqu'elle est encore secrète, et a fortiori quand elle ne sera formulée que plusieurs générations plus tard, n'encourt pas le Jugement. Le châtiment collectif, le châtiment transgénérationnel est incompatible avec les dispositions de la Loi. C'est la raison pour laquelle il nous est personnellement très difficile de participer aux réjouissances de la fête de Pourim ; elle commémore le châtiment du premier ministre Aman, le Himmler d'Assuérus, qui avait entrepris une « solution finale » à l'égard des juifs du royaume. Mais le livre d'Esther nous dit que les fils d'Aman furent exécutés eux aussi, ce qui relève de l'injustice.

La justice est le fondement même de la civilisation judéo-chrétienne. C'est contre l'absence apparente de justice que crie Job. Nous, judéo-chrétiens, nous ne pouvons comprendre les tueries aveugles de l'islam radical. L'indignation qu'elles suscitent est la même que celle qui doit nous animer lorsque nous lisons cet épisode du ministère de Moïse.

Un récit biblique peut donc être en contradiction avec les principes éthiques de la Torah. Le Récit n'est pas infaillible. C'est le couple tradition écrite-tradition orale qui l'est : la réflexion prime l'écrit ; elle empêche ainsi toute dérive dogmatique. Questionner, nous enseigne la tradition juive, ou plutôt mettre en question, est plus important encore que de décider. Le doute est essentiel à la certitude. En vérité, dans le texte biblique, on ne met pas en doute la Parole telle qu'elle est écrite. Simplement on la lit à différents niveaux d'interprétation, du sens littéral au sens allégorique, et du sens caché au sens ésotérique (entre autres). Ainsi tout peut se dire, tout peut se comprendre, tout peut se méditer selon toutes sortes de voies, de voix et de niveaux. C'est le socle même de la richesse multiforme de la lecture biblique et la justification de certains de nos propos, qui ne sont iconoclastes qu'en apparence.

La prescription de tuer des femmes, faite à Moïse dans ce terrible chapitre 31 des Nombres, était sans doute un piège : Moïse eût pu, eut dû protester, comme l'a fait Abraham face à l'éradication programmée des Sodomites, et comme eût dû le faire Noé. En effet, selon le Zohar, le Seigneur a reproché à Noé de ne pas s'être rebellé contre le projet de Déluge[21]. L'humain dispose de lois éthiques et du libre-arbitre, même face à la Toute-puissance de son Créateur. La rébellion peut devenir un devoir. C'est une noblesse, nous l'avons déjà noté, que, justement, le Créateur lui a conférée. Ne soyons cependant pas trop sévère avec le Prophète : il avait assisté, dans le respect et la crainte, à de multiples manifestations de la Toute-puissance divine. Pouvait-il envisager une rébellion ? Il n'en reste pas moins que tous ceux qui, dans une fidélité béate, participent à la lecture solennelle de ce texte biblique participent à la culpabilité portée par le Livre des Nombres. Remettons cependant les choses à leur place : un arbre fossilisé et quelques troncs noircis ne sauraient masquer la forêt biblique, verdoyante, foisonnante, riche de fleurs et de fruits, cette forêt où, en cheminant dans les allées de la connaissance et de la sagesse, on respire l'air des cieux.

---

21. *Midrach hanéélam*, Zohar II, Éd. Verdier, traduction et annotations par Charles Mopsik, p. 636.

La richesse de l'Écriture est prégnante d'une autre difficulté : à trop multiplier les sens d'un texte, on risque de lui faire perdre tout sens. Pourtant lire sans réflexion, et sans interprétation, c'est tomber dans un piège tendu à Sa créature par le Créateur. Il nous a donné l'Écrit de Sa parole à une condition essentielle : que nous réfléchissions longuement avant de nous aventurer à la comprendre. Oserons-nous un aphorisme boiteux ? *Simplement lire, c'est pire.*

La mort de l'innocent, prescrite à Moïse, est pourtant une préoccupation lancinante pour les rabbins de la tradition orale. Un *midrach* commente l'hymne de reconnaissance de Moïse, au chapitre XV de l'Exode, après le franchissement à pied sec de la Mer rouge :

> Coursier et cavalier, Il les a lancés dans la mer ! Ex. 15 :1.

Ce *midrach* met en scène tous les Hébreux chantant à l'unisson leur gratitude ; même les fœtus dans le ventre de leur mère, même les nourrissons encore incapables de parler se joignent au chœur. La cour des anges elle-même chante, et s'étonne de ne pas entendre le Tout-puissant, qui vient de sauver Son peuple, chanter lui aussi. Il répond :

> Comment pourrais-je chanter, quand Mes enfants se sont noyés ! B. Sanh. 39b.

Alors comment justifier, parmi les plaies d'Égypte, la mort de *tous* les premiers-nés ?

De façon générale, les passages bibliques violents, empreints d'injustice, relatent des épisodes antiques, mais n'en font pas des prescriptions de violence pour le présent ou l'avenir. Il est cependant une terrible exception : le dernier verset du Psaume 137, ce magnifique psaume des exilés, est insupportable ; le voici :

> Sur les rives des fleuves de Babylone nous nous assîmes et nous pleurâmes au souvenir de Sion... Si je t'oublie jamais, Jérusalem, que ma droite me refuse son service...

Oui, ces lignes sont très belles ; mais pas la suite :

> *Heureux qui saisira tes petits et les brisera contre le rocher...*

Lorsque nous avons élaboré notre « Dictionnaire alphabétique des Psaumes »[22] nous avons pris l'initiative de supprimer ce verset, qui compromet la noblesse de l'Écriture.

Ces scories expriment l'âge du texte. Beaucoup d'entre elles ont été neutralisées par la Tradition orale. Parfois une simple altération typographique, pérennisée de siècle en siècle par les scribes, est chargée de véhiculer une tradition correctrice. Personne ne demande que la Bible soit expurgée. Elle représente un tout scripturaire dont l'intégrité est essentielle à son interprétation sapientielle. Mais à nos yeux la lecture synagogale solennelle, triomphante, de certains passages de la Torah est choquante de nos jours. Ainsi par exemple ce chapitre 31 des Nombres, que nous venons de citer ; ou encore les sordides prescriptions des sacrifices, qui pour nous représentent le souvenir abominable d'une époque parfois inconsciente de sa propre éthique. Mais il serait possible d'altérer, sinon la teneur du texte, du moins sa cantilation[23].

---

22. L'Harmattan, Paris, 2011.
23. La lecture solennelle de la Torah est, sinon chantée, psalmodiée, selon des règles antiques très précises.

Fermons ce chapitre des scories ; d'abord parce qu'à l'exception de ce verset du Psaume 137, elles se réfèrent toujours à l'Histoire antique ; ensuite parce qu'elles relèvent du processus de fossilisation du Texte, qu'à un moment l'Histoire a rendu inévitable : il fallait bien qu'après le cataclysme de la destruction du Temple et de la Ville par les Romains, qu'après l'effondrement d'un culte sacerdotal presque millénaire, les rabbins survivants puissent se raccrocher à un cadre empreint de solidité. Ce cadre a été, justement, le Texte fossilisé. Mais pourquoi n'accepterions-nous pas un changement mineur tous les mille ans ? Nous pourrions nous réunir dans dix mille ans, pour examiner si dix minimes altérations ont mis en danger le judaïsme…

Nous voudrions encore citer un texte prophétique pour montrer l'importance d'un antique courant juif de pensée pour lequel l'éthique prime sur les règles cultuelles. Cet écrit d'Isaïe, ce prophète qui, avec d'autres, a condamné le culte des sacrifices, est à nos yeux l'un des plus beaux textes de la Bible, et l'un des plus importants – second Testament compris ; il date, ne l'oublions pas, du – VIIe siècle :

> Voici le jeûne que j'aime : c'est de rompre les chaînes de l'injustice, de dénouer les liens de tous les jougs, de renvoyer libres ceux qu'on opprime, de briser enfin toute servitude. Puis encore, de partager ton pain avec l'affamé, de recueillir dans ta maison les malheureux sans asile ; quand tu vois un homme nu de le couvrir, de ne jamais te dérober à ceux qui sont comme ta propre chair… Is. 58 :-7.

Nous retrouverons ce texte, complet cette fois, à la fin de cet ouvrage.

L'excès de piétisme conduit tout droit à l'escalier maléfique ; et il serait bien difficile de rester en équilibre au-dessus des dernières marches sans une balustrade. Or elle existe : c'est l'éthique, avec sa générosité et sa charité : à condition de ne pas être une éthique *fermée*, une éthique réservée aux *nôtres*, l'éthique confère à l'altérité de la noblesse plutôt que de l'écraser.

Les *midrachim*, ces paraboles que nous avons citées, permettent de démontrer une chose : malgré les apparences, les textes de la Tora ne sont pas figés. Ce que nous avons appelé leur miroir « re-formateur », la Loi orale, leur donne une grande souplesse – à condition de faire l'effort de l'étudier ; or étudier la Loi orale, toute la loi orale représente un grand effort intellectuel. Mais cette étude forme l'esprit à l'ouverture et au doute salutaires. L'ouverture d'esprit et le doute… c'est justement ce que les intégristes font profession de foi d'éviter : ils sont heureux quand, prisonniers d'un Texte, ils peuvent se complaire dans un espace intellectuel dénué de réflexion. L'intégriste est le prisonnier volontaire de l'automatisme aveugle.

L'altérité dans le judaïsme
L'altérité en général. L'altérité selon l'élection
Nous avions cité le verset 19 :18 du Lévitique : « Aime ton prochain comme toi-même ». Il devrait garantir le judaïsme contre tout sentiment exagéré de l'altérité.

Oui mais…

Oui mais… vont intervenir ici la construction de l'Élection et le sentiment de sainteté : ils peuvent être à l'origine d'une appréciation viciée de l'Altérité à l'intérieur même du judaïsme.

L'élection, nous l'avons déjà rappelé, est l'instauration d'un contrat entre le Créateur et le peuple juif, choisi, *élu*, devenu *Son* peuple, pour servir d'*exemple* de sainteté aux nations, de cette sainteté bâtie sur l'observance de la Loi :

> Si vous écoutez, oui, écoutez Ma voix, si vous gardez Mon alliance, vous serez Mon trésor entre tous les peuples, car à Moi est toute la terre ; et vous serez pour Moi un royaume de prêtres et un peuple saint, Ex. 19 :5-6.

Et :

> Quelle divinité entreprit jamais d'aller se chercher un peuple au milieu d'un autre peuple ? Dt. 4 :34

Et :

> Car tu es un peuple saint pour le Seigneur ton Dieu, c'est toi qu'Il a choisi pour être Son peuple précieux entre tous les peuples qui sont à la surface de la terre, Dt. 14 :2

Et encore, et nous nous arrêterons là :

> Je mettrai en vous Mon esprit et je ferai en sorte que vous suiviez Mes statuts et que vous observiez et pratiquiez Mes lois, Ez. 36 :25.

Les terribles malédictions de la fin du Deutéronome à l'égard de ceux qui transgresseraient les lois de la Torah ne s'adressent pas à *tous* les peuples ; elles sont destinées aux juifs qui oublieraient l'Alliance et ses impératifs. Elles ne s'inscrivent donc pas dans un processus d'altérité irréductible externe, malgré leur sévérité (et leur modernité), dont voici un exemple :

> Si tu cesses d'observer Mes commandements... Ton existence flottera incertaine devant toi, et tu trembleras nuit et jour, et tu ne croiras même pas à ta propre vie. Tu diras chaque matin : fut-ce encore hier soir ! Et chaque soir tu diras : fût-ce encore ce matin, si terribles seront les transes de ton cœur et le spectacle qui frappera tes yeux... Dt. 28 :66-67

Les juifs ont connu cela, mot pour mot, pendant la guerre ; et c'est ce que vivent aujourd'hui les chrétiens du Moyen-Orient, et les Yezidis.

L'élection réclame aussi, selon ses promoteurs, une séparation : celle entre le profane et le sacré :

> Afin de pouvoir distinguer entre le sacré et le profane, entre le pur et l'impur tu instruiras les enfants d'ISR dans toutes les lois que le Seigneur par Sa parole a mis dans la main de Moïse, Lév 10 :10

Comme, dans le judaïsme, toutes les étapes journalières de la vie, même les plus banales, possèdent un côté sacré, marqué par une bénédiction dédiée, c'est toute la vie qui doit être mise à l'abri du monde profane. Hélas ! la séparation n'est pas le meilleur agent de l'exemplarité. Comment un témoin séparé pourrait-il être un vrai témoin, un témoin accessible, un témoin visible, un témoin engagé, un témoin séduisant ?

Quelle plus belle mission que de témoigner auprès des nations de la sainteté du peuple élu et de Son Maître. Hélas ! Voici que, parmi ces témoins, certains s'arrogent une fonction et un droit : ceux de juger de la sainteté de leurs prochains. Est-elle totale ? Est-elle suffisante pour ne pas mettre en péril la bonne marche du monde ? En tant que juges ils se substituent à Dieu : leur conviction les entraîne sur le terrain du blasphème. Ils répètent dans leurs prières que le Créateur de toutes choses est miséricordieux. Et eux sont incapables de la moindre miséricorde : je connais bien ce sévère milieu des perroquets de la Torah, qu'ailleurs j'ai appelé les Dorbistes : les malades du DORB, le Délire orthodoxe de radicalisation de la Bible. Que dit pourtant la loi orale ?

> R. Meïr : le repentir est primordial ; pour une personne qui s'est repentie, il est pardonné à toute la terre » (B. Yoma 86).

Et :

> Si tu as vu un disciple des sages fauter pendant la nuit, ne le regarde pas le lendemain comme un pécheur : sans doute s'est-il repenti depuis, B. Ber 19a.

La dureté de ces juges autoproclamés les conduit tout droit vers une pente dangereuse : celle de l'instauration d'une altérité irréductible à l'égard de leurs coreligionnaires : ne sont plus fréquentables que les saints, ceux qui acquièrent la sainteté par l'observance minutieuse de règles d'airain. Cette démarche est si prenante, si pesante qu'elle finit par les détourner de toute autre réflexion et de toute autre activité, et d'abord de l'éthique. Nous retrouvons là les *vétilles* du prophète Isaïe. Ces critiques ne doivent pas faire oublier le sentiment de paix, de plénitude et d'harmonie personnelle et sociale que procure au croyant un équilibre raisonnable entre sa foi et ses pratiques cultuelles – considération valable pour toutes les religions.

Ces hyper-piétistes qui se prennent pour des exemples sont-ils capables de transformer une altérité irréductible en « désaltérisation » physique ? Avec une toute petite réserve, sur laquelle je reviendrai, non. Mais une « désaltérisation » morale, c'est-à-dire un mépris profond à l'égard de tout humain ne vivant pas selon leur propre analyse de la Torah, sans aucun doute. Est-ce se tenir dans la sphère de l'éthique juive ? Évidemment non. Comme tous les intégristes ces hyperpiétistes sont persuadés d'être la lumière de leur spiritualité ; pourtant, en vérité, leur comportement sectaire s'inscrit dans l'obscurité et l'obscurantisme.

À l'égard des capacités de « désaltérisation » physique de ces hyperpiétistes juifs nous émettions une réserve. Tout risque est écarté en principe par leur sphère d'influence réduite : ils ont choisi de confiner leur action à leur propre milieu. Mais quand ces pervers lancent des pierres sur des automobilistes qui transgressent le *chabat*, quand ils crachent sur une enfant trop peu habillée à leurs yeux, quand certains d'entre eux, particulièrement oublieux de l'éthique juive, soutiennent l'assassinat de Rabin ou encore usent de haine et de violence à l'égard de leurs voisins palestiniens, dans le cadre d'accès de fièvre intégriste ? Car ces heurts résultent de la convergence violente de lectures intégristes : celle de la géographie biblique, et celle de l'antijudaïsme coranique. Ces juifs intégristes sont alors singulièrement proches de la dernière marche de l'Escalier maléfique. Et malheureusement la corporation rabbinique est lente à les condamner : les intégristes choisissent toujours comme normatifs les plus sévères, les plus déviants et les plus pervers. Pour certains rabbins condamner des perroquets de la Torah serait condamner la Torah : c'est là une frontière pour eux infranchissable. L'éthique exige pourtant de la franchir. Grâce à leur culture séculaire du questionnement, les talmudistes ont rendu possible l'émergence d'un judaïsme des lumières. Mais le Talmud met aussi ses facultés de raisonnement au service de la piété formelle. Les sectes hyperpiétistes, obscurantistes, intellectuellement régressives, ne veulent plus connaître que ce volet du savoir talmudique. Ces sectes sont aussi celles d'une exceptionnelle fécondité démographique. À terme, l'intégrisme juif est donc en mesure d'effacer, en le noyant, le judaïsme des lumières. C'est une menace terrible, bien pire que celle de l'assimilation occidentale que craignent, non sans réalisme, tant de scrutateurs de l'avenir.

Les conversions dans le judaïsme

Ceci dit, même s'il existe dans ce milieu des hyper-piétistes, quelques tentations marginales de conduite violente, la barrière originelle, contractuelle, de l'Élection a tenu bon : la sainteté juive s'inscrit dans un contrat, à l'intérieur d'une bulle ; elle est appelée à agir en vertu de l'exemple ; mais elle n'est pas investie d'une mission rédemptrice universelle. À chacun sa liberté religieuse ! C'est bien pourquoi le judaïsme n'a presque jamais été oppressif et sanguinaire, et qu'il a renoncé au prosélytisme. Nous n'oublierons cependant pas les persécutions anti-chrétiennes du judaïsme sacerdotal antique, auxquelles a participé un chrétien devenu illustre : saint Paul (Actes, 7 :58-60 ; 8 :3). Mais nous aurons plutôt tendance à oublier un épisode ponctuel de la royauté antique : la conversion des Iduméens.

En – 125, ils se sont convertis au judaïsme sous Yohanan Hyrcan 1ᵉʳ ; cette conversion a-t-elle été spontanée, en raison du prestige des Hasmonéens, qui venaient de se libérer du joug oppressif des Grecs ? A-t-elle un été un peu soutenue par une pression militaire ? Cet épisode historique est encore discuté. Toujours est-il que c'est de ces Iduméens judaïsés qu'est issu Hérode dit « le Grand ».

Selon une tradition d'origine arabe une autre conversion de masse se serait déroulée sur le mode d'un élan spontané : celle du peuple caucasien des Khazars, au VIIᵉ siècle, Cette tradition fait l'objet de très vives controverses : car si elle était historiquement fondée, cela signifierait qu'une bonne partie des juifs d'Europe est dépourvue de racines judéennes. La légitimité politique de la refondation d'un État juif en Israël serait donc en jeu. C'est la thèse de Schlomo Sand[24].

Mais selon la plupart des historiens actuels, la conversion des Khazars relève du mythe. Ce mythe a permis au début du XIIᵉ siècle la rédaction du « Livre des Khazars » ou Kuzari[25]. Son auteur, le rabbin Yehuda Halévi y expose les arguments des différentes religions pour y faire triompher la sienne. Retenons que la conversion est admise dans le judaïsme ; mais elle n'est pas encouragée, au contraire. Et elle réclame une longue préparation.

Le monde repose sur un équilibre de forces ; le renoncement au prosélytisme aboutit au rejet de l'impérialisme religieux, non sans conséquence : le judaïsme devenu le judaïsme rabbinique après la victoire de Rome, s'est placé dans une position de faiblesse ; il a renoncé à la puissance en

24. Sand Schlomo, *Comment la terre d'Israël fut inventée*, Éd. Fayard, Paris, 2008.
25. *Le Kuzari*, Juda Halévi, Éd. Verdier, 1992.

privilégiant l'éthique : il s'est voulu persécuté plutôt que persécuteur. Il est ainsi devenu le « serviteur souffrant » décrit par Isaïe dans son chapitre 53.

L'hérésie : le Kareth ou « retranchement » communautaire
Il frappe les transgressions majeures. Voici ce qu'en dit la Loi :

> Quiconque aura commis une de toutes ces abominations, les êtres agissant ainsi seront retranchés (*nikhetavou, racine Khrt*) du sein de leur peuple, Lév. 18 :29 ; B. Ker. 1 :1.

> L'être qui aura agi ainsi de façon délibérée parmi les nationaux ou parmi les étrangers celui-là outrage le Seigneur. Celui-là sera retranché (*nikhetah, racine Khrt*) du milieu de son peuple, Nb. 15 :30 ; B. Ker. 1 :1.

Rassurons-nous : ce retranchement est symbolique ; il n'est pas question de couper un membre. Mais cette sanction est néanmoins sévère : tous les événements de la vie juive, de la circoncision à l'entrée dans la vie religieuse (*bar mitzvah*), du mariage à l'enterrement sont des événements communautaires ; être retranché de sa communauté fait donc de vous un paria, un zombie religieux ; le *kareth* est un abandon en rase campagne, mais sans châtiment corporel, répétons-le. La plus célèbre des victimes du retranchement a été Spinoza.

Il faut cependant remarquer que le *kareth* peut être effacé par le repentir. Et que d'autre part toute une école talmudique remet la sanction, non entre les mains des hommes, mais entre celles du Seigneur : peut-être la transgression sera-t-elle punie dans l'au-delà, par la privation des joies du monde à venir ; ou encore la sanction sera-t-elle une mort prématurée : le pécheur épargné dans l'immédiat, n'est pas laissé sans espérance.

L'altérité féminine. L'altérité sexuelle

Il y a une quarantaine d'années déjà, une éminente psychologue trop tôt disparue, Mme Éliane Amado-Valensi avait écrit ceci (nous citons de mémoire) : « L'islam ne pourra établir des relations normales avec l'Autre en général avant d'en avoir établi avec la femme ». Qu'en est-il dans le judaïsme ?

Une première réponse émane de la tradition orale : le Créateur a créé l'humain en tant que bloc hermaphrodite séparé plus tard en deux parties sexuées, Gn. R. 8 :2 : la voie de l'égalité parfaite a ainsi été tracée. Nous avons consacré tout un chapitre à ce problème de la femme dans le judaïsme dans un de nos livres[26]. Pour montrer combien la liberté féminine est ancrée dans la Bible hébraïque, nous avions fondé notre étude sur deux personnages féminins : Abigaïl, fermière capable de prendre des décisions en totale contradiction avec son mari (I Sam 25 :2 +), et Batcheva (ou Betsabée), la future mère du Roi Salomon, qui prenait des bains de lune en tenue d'Ève sur le toit de sa maison (II Sam 11 :2). Nous avions aussi souligné que la Tradition écrite comme la Tradition orale recommandent à l'époux d'éveiller la sexualité de sa partenaire pour lui permettre un plein accès à l'orgasme :

« Qu'elles sont délicieuses, tes caresses », Cant. 4 :10 ; B. Erouv. 100b ; B. Ket. 56a ; Zohar 1, 49a ; Zohar 2, 148b[27].

Pourtant, dans la liberté et l'égalité de la femme juive persistent deux écueils : l'accès à la fonction de rabbin et, dans certains cas, la consommation du divorce. Le judaïsme dit

---

26. *Judaïsme, christianisme, Islam : lire la Bible après la Shoah*, L'Harmattan, Paris, 2015, chapitre III.
27. Le lecteur pourra trouver une étude détaillée de l'attitude juive face au plaisir féminin dans notre livre : *L'éthique juive en Dix Paroles*, Éd. MJR, Genève 2006, chapitre VII, p. 152+.

réformé a conféré aux femmes la possibilité d'accéder aux fonctions sacerdotales, et elles ont su s'en montrer pleinement dignes. Le judaïsme conservateur s'y oppose. D'autre part la femme, égale de l'homme dans la vie courante, perd son égalité en entrant à la synagogue : elle ne dispose pas du même pouvoir liturgique : et les deux sexes sont séparés. La réalité de cette séparation, plus ou moins élaborée, symbolique ou matérialisée, est d'ailleurs un bon témoin de la pratique religieuse, libérale, conservatrice, orthodoxe ou ultra-piétiste d'une communauté.

Même les milieux hyper-piétistes ont admis l'accès des jeunes filles aux études supérieures. Certaines s'engagent dans des études juives et obtiennent un diplôme équivalent à celui de rabbin, sans pouvoir assumer cette fonction.

La Torah orale a supprimé, il y a près de deux millénaires, le mariage des mineures et le mariage forcé, B. Ket. 57b ; B. Yeb. 107b.

La polygamie a été découragée très tôt ; elle a été interdite dans le monde juif européen askenaze au cours du haut Moyen Âge ; une décision du R. Gerchon Meor haGola[28] entérina cette disparition en prévoyant pour le contrevenant la sanction du retranchement ; tolérée dans le monde sépharade, qui baignait dans la culture musulmane, elle y a également disparu depuis plus d'un millénaire. Aujourd'hui c'est tout ce monde juif géographique qui a disparu.

Au cours des siècles la Tradition orale a élargi le droit féminin au divorce ; ce dernier n'est plus la simple répudiation

---

28. *Méor hagola* : lumière de la diaspora. Source : *Dictionnaire encyclopédique du judaïsme*, Cerf-Robert Laffont, 1989, entrée : Monogamie, Polygamie.

qu'instituait la Torah écrite. Mais le divorce n'est consommé que lorsque le mari a accordé à son épouse un libelle de divorce, le *gueth*. Dans l'immense majorité des cas cela ne pose aucun problème ; mais il existe quelques maris récalcitrants allant jusqu'à se livrer au chantage. Sans divorce rabbinique, donc sans *gueth*, les enfants que pourrait avoir par la suite l'épouse brimée seraient des bâtards, rejetés de tous les actes civils du judaïsme. C'est là une atteinte absolue à la liberté de la femme, étendue à plusieurs générations. Pour notre part nous ne pouvons comprendre que des tribunaux rabbiniques n'aient pas modifié, dans le cadre de la tradition orale, cette disposition du refus de libelle. Il est urgent qu'ils le fassent.

Mais dans l'ensemble le statut de la femme juive est un statut d'égalité et de liberté. Peut-on l'affirmer pour les épouses des barbus des sectes piétistes ? Nous voudrions en être sûr – ou plutôt nous sommes sûr du contraire : preuve en sont les fuites vers la liberté de certaines jeunes filles rejetant le carcan du ghetto intégriste[29] reconstitué.

L'homosexualité

Le Lévitique interdit sans ambiguïté les rapports sexuels masculins, Lév. 18:22. Ils représentent le péché absolu de Sodome, justifiant selon la Bible la décision d'annihilation de cette ville par le Seigneur, Gn. 19. La loi orale spécifie aussi l'interdiction de l'homosexualité féminine, B. Yeb 76a. Le judaïsme orthodoxe a conservé une attitude très sévère à l'égard de l'homosexualité. Pourtant les psychiatres prenant en charge les élèves des écoles talmudiques savent bien qu'elles n'y échappent pas. Sous la pression de l'évolution de la société

---

29. Florence Heymann, *Les déserteurs de Dieu*, ouvrage cité.

les fractions moins conservatrices du judaïsme sont beaucoup plus compréhensives. Récemment (juin 2016) le monde juif français a été secoué par une position sévère, presque violente, prise par l'ancien grand Rabbin de France, M. Joseph Sitruk. Madame Pauline Bebe, Rabbine du mouvement juif libéral, a fait à cette occasion une remarquable mise au point, appuyée sur les passages bibliques et la Torah orale recommandant l'amour du prochain et la tolérance. Au fait, qu'a dit David, le futur roi, quand il apprit la mort de son beau-frère Jonathan, le fils du roi Saül le schizophrène :

> Ton affection m'était précieuse, plus que l'amour des femmes, II Sam. 1 :26.

Ce verset suspicieusement évocateur est connu de tous les biblistes, mais tabou. Il a été à l'origine d'un incident cocasse à la Knesset, le parlement israélien, à l'occasion d'un débat sur l'homosexualité. Yaël Dayan, la fille du général, députée, se leva pour faire une déclaration. Les représentants des partis religieux, qui connaissaient parfaitement ce verset, lui crièrent à l'unisson : Ne le dis pas ! Ne le dis pas ! Position tout à fait contraire à la tradition talmudique, qui est de tout dire et de tout discuter – sauf ce qui risque d'offenser en public.

L'altérité animale

Pourquoi aborder ce sujet ? parce que c'est une spécificité de la Torah ; parce qu'il fait suite, tout naturellement, au verset de l'amour du prochain, : complété par le quatrième commandement ou quatrième Parole :

> Souviens-toi du jour du Chabat pour le sanctifier.
> Six jours tu travailleras, et tu exerceras toute sorte

d'activité. Mais le jour septième est la Pause du Seigneur ton Dieu : tu n'exerceras aucune activité, ni ton fils, ni ta fille, ni ton serviteur, ni ta servante, *ni tes animaux*, ni l'étranger qui est dans tes murs. Ex. 20 :8

L'animal domestique est ainsi placé sur le même plan que l'humain. Il bénéficie du repos hebdomadaire. Peut-être ceux qui ont traduit la Genèse ont-ils été emportés par leur propre sentiment de supériorité sur les animaux. Car dans le verset 1 :28 de la Genèse, il est dit :

> Commandez (« assujettissez », dit Chouraqui) aux poissons de la mer et aux oiseaux du ciel et à tous les êtres vivants qui rampent sur la terre...

Commandez : le terme hébreu est : *redou*, descendez. Le Bibliste a pu vouloir enjoindre aux humains de *descendre*, de descendre de leur hauteur, pour se mettre de niveau avec les animaux. Cette opinion est confortée d'abord par un midrach : quand Moïse entend la rumeur du veau d'or, Dieu lui dit : « va, descends », Ex 32 :7. Et le midrach explique : cela signifie : Moïse, *descends, descends de ta grandeur*, B. Ber 32a. : abandonne ton orgueil et va voir le drame amorcé. Et puis il y a cet extraordinaire passage de l'Ecclésiaste :

> Considérés en eux-mêmes les hommes sont comme les animaux ; car telle est la destinée des fils d'Adam, telle est la destinée des animaux. Leur condition est la même, la mort des uns est comme la mort des autres ; un même souffle les anime ; la supériorité de l'homme sur les animaux est nulle, car tout est vanité... Qui peut savoir si l'esprit des fils d'Adam monte en haut, tandis que le souffle des animaux descend vers la terre ? Eccl. 3 :19-20.

L'animal est donc bien l'égal de l'homme ; au maître de le nourrir avant son propre petit-déjeuner (B. Guit. 61a), et de laisser le bœuf attelé à la meule prélever du grain selon son appétit, Dt. 25 :4. Ces dispositions magnifiques sont contre-balancées par le souvenir du culte sacrificiel, véritable persécution des animaux. Dans notre livre « Lire la Bible après la Shoah » nous y avons consacré un chapitre intitulé : « Les sacrifices, une ineffaçable abomination ».

C'est le moment d'aborder un instant l'abattage rituel juif, car il fait régulièrement l'objet de polémiques issues d'une confusion. Dans le chapitre IX de la Genèse, après le déluge, l'humanité entière est invitée à respecter le sang, essence même de la vie (Gn. 9 :3-5). Il est donc prescrit de ne consom-mer une viande que débarrassée de son sang. Pour cela l'abattage se fait par anémie aiguë : les gros vaisseaux du cou sont tranchés à l'aide d'une petite lame effilée. Très rapidement le cerveau est privé de sang : l'animal perd conscience. La Loi serait-elle opposée à un mode d'anesthésie préalable ? À notre sens non, en vertu de deux textes du Talmud qui s'ajoutent aux versets bibliques cités plus haut. :

> Éviter de faire souffrir les animaux dont les facultés intellectuelles sont modestes est une loi biblique, B. Chab. 128b.

> Moïse a été choisi pour sa sollicitude envers un agneau, Ex R. 2 :2.

Nous avons évoqué une confusion : elle est faite avec un autre mode d'abattage, véritablement cruel : l'égorgement, qui asso-cie à une large plaie une hémorragie abondante inondant la trachée et entraînant un étouffement.

La diabolisation

La diabolisation de l'autre, instrument de l'altérité irréductible dans plusieurs religions, existe-t-elle dans le judaïsme ? Pour répondre à cette question, il convient de se pencher sur le statut juif de Satan. Ce personnage n'apparaît que rarement dans la Bible, à moins d'admettre que sa personnalité ne se confonde avec le paradigme du Serpent originel, très important dans la Cabbale.

Quand Balam, le prophète maudit du chapitre XXII des Nombres, monté sur sa fidèle ânesse, est confronté sans le voir à un ange du Seigneur, celui-ci, dit le texte (verset 22) s'*opposa* à lui. Cette opposition est portée par le verbe hébraïque *satan*. Satan est donc celui qui s'oppose. Satan apparaît, avec plus de consistance, dans le Lévitique : c'est, sous le nom d'Azazel, le destinataire d'un des deux boucs émissaires (Lév. 16 :7+). Nous le enfin rencontrons dans le livre de Job, ange parmi la cour des anges, un peu plus égal que les autres dans la proximité du Seigneur. Dans Job Satan lance un défi à Dieu, celui de faire chuter Job ; et Dieu le charge de cette mission ; ce sera un échec ; écrasé de malheur, Job dit :

> Dieu a donné, Dieu a pris, que le Nom du Seigneur soit béni, Job 1 :21

Satan est donc le *tentateur* ; il est aussi l'*accusateur* :

> Puis Il me fit voir le grand prêtre Josué debout devant l'ange de l'Éternel ; Satan se tenait à sa droite pour l'accuser, Zac. 3 :1.

Cette définition restrictive comporte deux corollaires. Le premier est que l'action maléfique de Satan peut se transformer en action bénéfique : celui qui fait l'objet de la tentation peut n'y pas céder ; il fait alors prédominer son bon penchant, et triompher le bien. Le second est que, dans le judaïsme, Satan n'est en aucun cas la personnification puissante du mal. Les rabbins du Talmud insistent beaucoup sur le pouvoir maléfique du Seigneur tout-puissant, affirmé dans le chapitre 45 d'Isaïe :

> Je façonne la lumière et crée la ténèbre, Je fais la paix et fais naître le mal, Moi le Seigneur Je fais tout cela, Is. 45 : 7.

Cette affirmation prophétique étonne souvent nos interlocuteurs chrétiens, fidèles à l'enseignement de saint Augustin, professé sept siècles plus tard :

> Nous croyons que tout ce qui existe vient d'un seul Dieu, et cependant que Dieu n'est pas l'auteur des péchés.

Or faire de Satan la puissance personnifiée du mal, le mauvais démiurge, dans une vision manichéenne[30] du monde, serait confronter le Seigneur à une seconde puissance céleste, et le priver de Sa Toute-puissance : ce serait saper le fondement du monothéisme. Les talmudistes sont donc véhéments dans leur défense de la capacité maléfique de l'Unique, et recommandent même de ne pas trop le bénir, car ce serait oublier cette capacité (B. Ber. 33b). Satan, dans le judaïsme, n'est donc pas une puissance, si bien que le judaïsme est incapable de *diaboliser*.

La désaltérisation dans l'au-delà : la géhenne

À l'origine, la Géhenne, c'est *Guehinom*, la vallée de Hinom, le nom d'un propriétaire terrien de ce vallon de Jérusalem où les adeptes du Moloch brûlaient des nouveau-nés. L'image des

---

30. Rappelons-nous qu'au début de sa carrière spirituelle Augustin a été manichéen.

flammes est donc, dès l'origine, associée à la géhenne. La géhenne a fait une entrée tardive dans la tradition juive. À l'origine les morts étaient censés dormir dans un espace souterrain, le Cheol, d'où le prophète Samuel, et lui seul, fut extrait un instant par le roi Saül (I Sam. 28 :15) à l'aide d'une nécromancienne. Le paradigme d'une vie après la mort, dans l'au-delà, est apparu après l'époque des persécutions grecques, à partir du – IIIe siècle… Face à de tels malheurs il fallut inventer une consolation et une espérance : la vie éternelle, une vie désusbtantialisée, céleste ; ce concept était si séduisant qu'il devait être adopté plus tard par le christianisme, et, en l'altérant, par l'islam.

Dès sa formulation, ce concept nouveau de vie céleste posait un problème : le juste serait-il contraint de partager ce nouvel espace avec le criminel ? Le gazé d'Auschwitz serait-il appelé à louer le Seigneur en compagnie d'Hitler ? Dès lors que les âmes furent dotées d'une vie éternelle, il fallut bien séparer les justes des pécheurs, d'où le paradigme d'une géhenne. Bien que très présente dans le Talmud, la géhenne n'a jamais été une grande préoccupation théologique pour les juifs. Au cours de notre éducation juive d'enfant, elle n'a jamais été évoquée.

Comment en effet décrire ce que personne n'a jamais pu raconter ? Après de longues discussions sur les modalités des temps messianiques, présentées de façon différente par chacun des prophètes qui les annoncent, les talmudistes ont proposé, en paraphrasant Isaïe, une conclusion d'une sagesse extraordinaire :

Seul Ton œil a vu, Seigneur, B. Ber 34b.

Oui ! *Seul Ton œil a vu* : seul le Créateur sait ce qu'il a créé ; seul le Maître de la Parole sait ce qu'Il a dit ; seul le Maître de l'Écrit sait ce qu'Il a voulu communiquer ; seul le Maître de la Volonté sait ce qu'est cette Volonté. En dehors de ces constatations, il n'est pas de sagesse ; les hasards de la génération ont privé l'auteur d'une sœur. Mais avec l'âge il cherche à s'en trouver une, selon le conseil de l'auteur des Proverbes :

Dis à la sagesse : tu es ma sœur, Pr. 7 :4

Une vieille histoire court dans les chaumières : dans l'au-delà un choix est proposé à une âme nouvellement arrivée, atterrée par la sévérité de son Jugement : elle peut être livrée soit à un enfer allemand, soit à un enfer russe, soit à un enfer français. Or il apparaît que les supplices, feu, application de fer rougi, dégustation de plomb fondu, et les autres, sont identiques dans les trois enfers. Alors pourquoi choisir ? Un angelot lui glisse alors à l'oreille :

— Choisis l'enfer français.

— Pourquoi ? Le programme n'est-il pas le même partout ?

— Certes ! Mais dans l'enfer français, un jour les préposés auront laissé le feu s'éteindre, ou encore ils auront oublié de renouveler le stock de plomb ; et parfois ils seront en grève…

Erreur : il eût fallu choisir la géhenne juive : car selon la tradition orale elle ne fonctionne pas le jour du Seigneur (B. Sanh 65b) et ne garde ses victimes qu'une année (B. Chab 33b).

La victimisation

Ce problème ne se pose pas : les juifs n'ont pas eu besoin de se considérer, à tort, comme des victimes pour s'arroger le droit de massacrer. Des victimes, ils l'ont été à travers les siècles. Et ils l'ont accepté. Pourquoi ? Parce qu'ils ont choisi, envers et contre tout et tous, de rester fidèles à leur conception de la sainteté. Invités de siècle en siècle, souvent de façon violente, à changer de foi, ils s'y sont toujours refusés : ils ont été des résistants, des résistants exemplaires. Tendre la joue (Lam. 3 :30 ; Mt. 5 :39) ? Ils connaissent.

Les relations entre le pouvoir politique et le pouvoir religieux
Nous l'avons dit : qu'une secte souhaite liquider ses ennemis n'a que peu d'importance, sinon pour ses victimes immédiates : quel est le pouvoir d'une petite secte face au monde ? Pourtant les moyens actuels de destruction massive pourraient conférer à un petit groupe un pouvoir maléfique considérable : rappelons-nous l'attentat de la secte Aoun dans le métro japonais. Mais que le pouvoir politique d'une nation se mette au service d'une opinion sectaire, et voici le monde menacé. La séparation de l'Église et de l'État est donc un élément fondamental de la survie de l'humanité dans la liberté.

Notons en passant que le mot « Église » vient du grec « *ecclesia* », l'assemblée. Dans la traduction grecque de la Septante, le mot hébreu « assemblée », *qehila*, est traduit par ce terme d'*ecclesia*. La synagogue, mot d'origine grecque lui aussi, désigne l'endroit où l'on est ensemble : les lieux de culte chrétiens eussent pu s'appeler « *synagogues* »; tandis que les lieux de culte juifs eussent pu se retrouver sous le vocable d'« *église* »: voici une spécificité bien peu spécifique.

Dans le judaïsme antique la séparation du politique et de la foi remonte aux origines : le politique à Moïse ; le spirituel à son frère Aaron le prêtre. C'est ce que réclame plus tard le peuple à son autorité spirituelle *et* politique du moment, le prophète Samuel : le peuple hébreu veut un roi, « comme les

autres peuples ». Cette exigence populaire conduit à l'onc-
tion royale de Saül (I Sam 10:1+). Désormais Samuel
partage le pouvoir avec Saül : au roi le pouvoir politique.
Cette séparation est rapidement mise à l'épreuve, quand le
roi ose entreprendre un sacrifice parce que Samuel est en
retard. Il faut que la distinction des pouvoirs soit respectée.
Elle traversera les siècles jusqu'à l'époque du second Temple.
Le « rendez à César » de Jésus s'inscrit donc dans la loi juive
traditionnelle.

La séparation a été reprise par la constitution de l'Israël
moderne, mais elle est mise à mal, à certains moments, par le
système électoral intégralement proportionnel : cette disposition donne une importance imméritée à de petits partis, et finit
ainsi dans le déni de démocratie : avis aux amateurs de pro-
portionnelle intégrale !

Le comput du Temps

Le judaïsme a choisi de décompter le temps à partir de la
Création, et d'assister à son déroulement, sous la conduite du
Créateur, jusqu'aux temps messianiques. Il y a, dans cette perception de l'Histoire, une continuité essentielle ; elle assure, de
siècle en siècle, depuis les origines, une égalité historique à tous
les humains qui sont nés, qui ont vécu, qui sont morts : c'est là
une garantie de perception égalitaire de nos prédécesseurs et
une protection contre l'instauration d'une altérité irréductible
temporelle, rétroactive : pourquoi nous sentirions-nous supérieurs à l'un de nos ancêtres, même s'il appartenait à une
génération prédiluvienne ? Cette perception historique continue
et égalitaire est un élément important de la conscience du passé.
Toutes les cultures n'ont pas su y adhérer.

Conclusion partielle

L'immense danger que représente, en matière de religion, la conviction d'être seul à détenir la vérité, a été épargné au judaïsme par l'élaboration de la Tradition et de la Loi orales : le Texte écrit, demeuré seul, eut pu conduire à l'arrogance de la certitude. La loi orale a institué en règle d'or le questionnement et le doute ; elle s'est interdite, par raisonnement, de prétendre connaître la volonté divine. C'est là un immense privilège construit par des siècles de discussion au sein des académies talmudiques, discussions donc chaque terme a été précieusement conservé. Le judaïsme a choisi, nous l'avons déjà dit, d'être faible et donc vulnérable. C'est un choix éthique noble mais dangereux. Le monde s'y est habitué ; il ne semble pas prêt à tolérer que cette option puisse être modifiée.

Chapitre III
Le Christianisme et l'escalier du malheur

**La première marche de l'escalier : la théologie de la substitution ;
l'appropriation de Dieu**

Il n'est pas faux d'avancer que la théologie de la substitution
est, au départ, un paradigme chrétien. Pour s'en persuader, il
suffit de lire quelques versets de l'Évangile de Jean :

> Qui croit en lui (Jésus) n'est pas jugé, qui ne croit pas
> est déjà jugé, parce qu'il n'a pas cru au Nom du Fils
> unique de Dieu, Jn. 3 :18.

> Le Père aime le Fils et a tout remis dans sa main. Qui
> croit au Fils a la vie éternelle ; qui refuse de croire au Fils
> n'aura pas la vie mais la colère de D. demeurera sur lui,
> Jn. 3 :35-36

> Qui n'honore pas le fils n'honore pas le Père qui l'a
> envoyé, Jn. 5 :22

> Je le suis (le Messie), moi qui te parle, Jn. 4 :25

Ces versets fondent la religion nouvelle, la substituent à toutes
les précédentes, et instituent une séparation irréductible entre
les tenants de cette vérité absolue, inaugurale, et ceux qui
oseraient ne pas l'adopter. Les versets suivants consacrent le
déclassement relatif du Créateur :

> Car le Père ne juge personne ; il a donné au Fils le
> jugement tout entier, Jn. 5 :22

Oui, telle est la volonté de mon Père : que quiconque voit le Fils et croit en lui ait la vie éternelle, et *je* le ressusciterai au dernier jour. Jn. 6 :40

Bien sûr les théologiens ont inventé le paradigme de la Trinité pour maintenir une égalité théorique entre le Père et le Fils. Mais tous les versets que nous venons de citer ont le même sens : il n'est pas de salut pour celui qui ne se reconnaît pas disciple de Jésus, le Messie, le Fils, et qui ne lui accorde pas sa foi. Pour accéder à Dieu il n'est qu'un chemin : Jésus. Toutes les voies d'accès au Créateur, décrites auparavant, sont caduques. Le changement est là, total, *substituant*.

On retrouve le même message, un peu moins clair, dans les épîtres de Paul dont le style est souvent lourd, presque embarrassé :

« Voici que des jours viennent, dit le Seigneur, où J'accomplirai avec la maison d'Israël et la maison de Yehoudah une alliance nouvelle… » (Jér. 31 :31). En disant : « Alliance nouvelle », Il rend vieille la première ; or ce qui est vieilli et vétuste est près de disparaître », Hébr. 8 :8 :13[31].

…et cependant, sachant que l'homme n'est pas justifié par la pratique de la Loi, mais seulement par la Foi en Jésus-Christ, nous avons cru, nous aussi au Christ Jésus, afin d'obtenir la justification par la foi au Christ et non par la pratique de la loi, puisque par la pratique de la Loi personne ne sera justifié. Gal. 2 :16.

---

31. Pour de nombreux théologiens l'Épître aux Hébreux est apocryphe. Elle a cependant conservé une grande importance.

La substitution paulinienne institue le salut par la foi. La Torah et ses lois doivent être abandonnées :

> La loi est intervenue pour que se multiplie la faute, Gal. 3 :23
>
> Je n'ai connu le péché que par la Loi. Et de fait j'aurais ignoré la convoitise si la Loi ne m'avait pas dit : Tu ne convoiteras pas, Rm. 7 :7.

Jésus et la Loi. Paul et Jésus

Cette position, qui semble effacer les Dix commandements, appelle quelques commentaires.

Le premier est qu'elle est totalement opposée à l'enseignement de Jésus ; cela confirme que les vrais créateurs du christianisme ont été Jean et Paul, bien plus que Jésus. Qu'a dit en effet Jésus à propos de la Loi ?

> Je ne suis pas venu abolir la loi ou les Prophètes, je ne suis pas venu abolir mais accomplir. Car je vous le dis, en vérité : avant que ne passent le ciel et la terre, pas un iod[32] ne passera de la Loi, que tout ne soit réalisé Celui donc qui violera le moindre de ces préceptes et enseignera aux autres de faire de même, sera tenu pour le moindre dans le royaume des cieux ; au contraire, celui qui les exécutera et les enseignera, celui-là sera tenu pour le plus grand dans le royaume des cieux, Mt. 5 :17-19.

Nous avons exposé ailleurs[33] que, pour nous, le terme *accomplir* a une signification eschatologique : dans les temps messianiques,

---

32. La lettre hébraïque « I », le *iod,* est beaucoup plus petite que les autres lettres : cela fait sens ; alors que le *iota* des traductions habituelles, a la même taille que les autres lettres grecques.
33. *Chrétiens et juifs, juifs et chrétiens, l'inéluctable fraternité,* L'Harmattan, Paris, 2013.

que Jésus pressentait tout proches, les contingences terrestres n'auront plus cours ; il ne sera donc plus utile de disposer de lois concernant la vie pratique ; mais jusque-là...

Jésus était inséré (sauf, justement dans cet évangile de Jean, nous y reviendrons) dans la vie et l'Écriture juives auxquelles Paul avait choisi de ne plus se référer ; Paul avait aussi résolu de fermer ses yeux et ses oreilles au précieux enseignement du rabbin itinérant Jésus, que ses contemporains appelaient *Jochuah ben Joseph*, Josué fils de Joseph. Notons qu'en hébreu *Jochuah signifie*: « celui qui sauve ». Paul ne voulait connaître que « Jésus sur la croix »[34].

Jésus ne rejetait pas la Loi, tout en acceptant parfois d'en atténuer la rigueur. Que Paul et Jésus aient différé sur l'importance de la Loi n'est pas un détail. L'introduction paulinienne du salut exclusif par la foi aura, pendant les siècles suivants, des conséquences effroyables. Le salut par les œuvres permet d'espérer un équilibre dans le pardon : un fils d'Adam a pu se montrer un peu malhonnête, mais aussi généreux ; un autre, meunier de son état, peu regardant sur la qualité de sa farine, aura peut-être été un fils parfait, « donnant du poids », comme dit le Décalogue, à ses parents âgés : l'aiguille du jugement, du *din*, va osciller entre deux pôles ; elle se fixera peut-être dans une position intermédiaire, reflétant un accommodement dans la miséricorde. Mais la Foi ? Elle fonctionne sur le mode du tout ou rien. Les hommes, qui si souvent se substituent à Dieu pour juger, en *usurpant le Nom*, auront vite fait de classer un suspect parmi les mécréants, et de le

---

34. *Cf.* notre livre : *Juifs et Chrétiens, requiem pour un divorce*, chapitre XXIV, l'Harmattan, Paris, 2001 ; Becker Jurgen, *Paul, l'Apôtre des nations*, Éd. du Cerf, 1995.

condamner à mort. Le salut par la foi, attribué ou refusé par des juges humains est porteur de sévérité et d'injustice. C'est en vertu de ce paradigme qu'a eu lieu le terrible brûlement des hérétiques de Béziers dans leur cathédrale en 1209, lors de la « Croisade des Albigeois ». Hérétiques... l'étaient-ils tous ? « Dieu reconnaîtra les siens » aurait-il été dit. Aimez-vous les uns les autres... Après tout, ce ne fut qu'un immense bûcher de plus à côté d'innombrables bûchers plus modestes, dont certains ont laissé leur trace dans la toponymie, comme au « Champ des *crémats* »[35], sous le château de Montségur. Les hérétiques seraient-ils des hommes ? mais non, ils ont perdu cette qualité sous le poids de l'« Altérité irréductible ».

L'Évangile de Jean a bien conduit à une « appropriation de Dieu » avec tout ce que ce concept porte de rejet et de division.

La certitude substitutive et ses conséquences

La certitude, naturellement associée à la théologie de la substitution, a conféré au catholicisme, dans l'esprit de ses prêtres, notamment médiévaux, l'obligation du prosélytisme. Les non-chrétiens sont dans l'erreur ; ils sont menacés de déshumanisation. Pour les sauver il faut les convertir, s'il le faut par la force. La conversion, parfois plus ou moins volontaire, le plus souvent imposée, a accompagné le colonialisme : l'Inquisition a rapidement franchi l'Atlantique dans les premières caravelles. N'oublions pas que c'est le Pape qui avait partagé le monde entre les colonisateurs. Cortès, Pizarro et bien d'autres, mais aussi le courageux prêtre Bartolomé Las Casas, qui

---

35. Les « crémats » : ceux qui ont été « cramés ».

n'était pas toujours d'accord, ont laissé leurs noms à cette entreprise dans l'Amérique bientôt latine. Plus tard les Évangélistes protestants n'ont pas été en reste. Les Indiens d'Amérique l'ont appris, et bien sûr les Africains, puis les habitants de l'Inde.

À cet égard il est intéressant de lire le livre consacré par l'historien Dalrymple à l'empire Moghol des Indes[36]. Il dépeint l'élan évangélique forcené d'un pasteur anglican, Jennings, qui avait décidé de convertir tous les Hindous. Pour cet ecclésiastique, ces indigènes, pourtant héritiers d'une grande civilisation, ne professaient pas une autre religion : ils étaient les disciples de Satan ; ils étaient donc privés de toute chance de salut, et lui, Jennings, appuyé sur la puissance de la couronne britannique, allait les sauver. Même si cela n'en a pas été la seule cause, cela finit par la sanglante révolte des cipayes. C'était au milieu du XIXe siècle à Delhi. Les cipayes, pour moitié hindouistes, et pour moitié musulmans, furent cruels. Les Britanniques s'en rendirent maîtres non sans difficulté. Ils se vengèrent, non sans associer la religion à leur vengeance[37] : toute l'armée participa dans l'enthousiasme au massacre de la population civile de cette ville immense, dont une partie seulement avait été rebelle : Dieu avait donné la victoire à l'armée anglaise[38]. Élargir cette victoire dans le sang était une manière de rehausser encore la gloire divine. « Enfin des paroles « chrétiennes » s'élevaient au-dessus des ruines de la métropole vaincue… » On croit rêver, ou plutôt faire un cauchemar. Les Britanniques, en cette occurrence, non pas été plus

---

36. William Darlymple, *Le dernier Moghol*, Éd. Noir et blanc, Lausanne, 2008.
37. Cela ressort des nombreuses lettres d'officiers et de femmes d'officiers que reproduit l'historien.
38. Qui en fait était celle de l'East India company.

humains que les Croisés en leur temps. Ils étaient tout autant persuadés d'appartenir à une civilisation et à une religion supérieures : comme des ondes concentriques à la surface d'un étang, les ravages de la certitude substitutive s'étendent bien au-delà des autels. Les vainqueurs, en détruisant les palais les plus raffinés des Indes, ne se conduisirent pas mieux que Daech à Palmyre. Ce fut Disraeli qui mit définitivement fin à l'horreur, avec ces mots : « J'ai récemment lu et entendu des propos pouvant laisser craindre qu'au lieu de nous inspirer de l'exemple de Jésus nous ne nous apprêtions à faire revivre le culte de Moloch... »

Le goupillon s'est aussi allié au sabre dans la conquête des îles du Pacifique. Il a au moins aboli les sacrifices humains et l'anthropophagie. La compétition à laquelle se sont livrés, au Québec, à partir du XVIIe siècle, les pasteurs anglicans, assez hautains et rigides, et les missionnaires catholiques français, plus souples, est elle aussi instructive[39]. Souvent le lecteur de ces épopées a le sentiment que les véritables civilisés se trouvaient parmi les citoyens des nations dites premières.

L'altérité irréductible selon les auteurs du Second Testament
L'Évangile de Jean, cette cathédrale de la foi, est aussi, hélas ! un monument de l'altérité. D'abord parce que l'appropriation de Dieu dont ce texte est porteur divise le monde entre les bons et les mauvais, ceux qui croient bien et ceux qui croient mal.

---

39. Havard Gilles et Vidal Cécile, *Histoire de l'Amérique française*, Flammarion (Champs), Paris, 2003, 2008, 2014 ; Moreau Anne-Claire, *Peuples, guerres et religions dans l'Amérique du Nord Coloniale*, L'Harmattan, Paris, 2014.

Mais il y a pire : ces autres qui croient mal, ces autres qui osent être réfractaires à la substitution, ce sont « les juifs ». Le lecteur non prévenu, devant l'opposition permanente entre le personnage central de l'Évangile, Jésus, et les membres désignés d'une communauté évidemment mécréante, malfaisante et persécutrice, ne pourrait imaginer que justement Jésus est l'un d'eux. Les exégètes ont recensé soixante-douze occurrences de cette locution dépréciatrice et discriminante. Une commission du concile Vatican II devait s'employer à effacer ces manifestations de défiance qui inévitablement débouchent sur la haine. Jusqu'ici on n'a guère vu en action la gomme ecclésiastique attendue. Oui, cet Évangile censé apporter au monde un message d'amour est un vecteur de division. L'Évangile de Jean est celui de la substitution, de l'appropriation de Dieu, de l'altérité, et de l'usurpation identitaire. Il conduit directement à l'escalier du malheur.

Dans ce récit, au cours de ses pérégrinations et de ses prêches, Jésus ne pénétrait pas simplement dans des synagogues, qui étaient les siennes, comme elles le sont pour tous les juifs. Les Évangiles, et pas seulement celui de Jean, les synoptiques aussi (Mt. 4 :23 ; 12 :9 ; Marc 1 :39 etc.), spécifient toujours : « *leurs* » synagogues ; des entités *étrangères*. En vertu de la substitution, Jésus est présenté comme un étranger dans son propre pays et parmi ses concitoyens ; bien sûr, puisque lui et ses disciples sont les seuls « bons » au sein d'un peuple de « mauvais ».

Si bien que Jean a été pour des siècles l'initiateur et le propagateur de l'antijudaïsme d'Église. Ses versets aboutissent à une véritable dénaturation géopolitique. « Les juifs » sont pourtant chez eux, comme Jésus ; ils vivent dans leur pays, la Judée ou la Galilée, dans leur ville sainte, Jérusalem ; ils y vivent la foi de leurs pères – et Jésus aussi : les Évangiles en rapportent des exemples : la Cène est le repas pascal juif, le *séder*, vécu par toutes les familles juives ou presque aujourd'hui encore, selon le même rite multimillénaire. Les juifs de l'époque mettaient leur foi en pratique près de son lieu géométrique, le Temple. Mais, en vertu de la substitution, la légitimité changeait de camp.

Certaines expressions johanniques sont forgées pour que se lève une vague de haine anti-juive – qui n'est encore pas retombée :

Parce que les juifs cherchaient à le tuer Jn. 7 :1.

Les juifs cherchaient à le lapider, Jn. 11 :8.

Personne ne s'exprimait ouvertement à son sujet, par peur des juifs, Jn. 7 :13

Si mon royaume était de ce monde, mes gens auraient combattu pour que je ne sois pas livré aux juifs, Jn. 18 :36

(Les juifs vociféraient :) À mort, à mort, crucifie-le ! Jn. 19 :14.

Alors s'est produit un glissement lourd de conséquences pour l'avenir : selon le texte, la foule suggérait à Pilate de crucifier Jésus. Mais la suite du texte a inversé les rôles, affirmant :

Alors (Pilate) le leur livra pour être crucifié.

Les bourreaux, qui élèvent la croix et manipulent les clous et les marteaux ne sont plus romains, mais juifs ! Ainsi s'est forgée, sans innocence aucune, l'accusation de déicide[40].

---

40. On trouvera dans notre livre : *Juifs et Chrétiens, requiem pour un divorce*, déjà cité, au chapitre XX, p. 329, une étude détaillée des invraisemblances et contradictions émaillant les récits évangéliques du procès de Jésus. On notera que, plus tard, les tribunaux catholiques ont condamné à mort moult hérétiques qui s'étaient beaucoup moins éloignés de la doxa officielle que Jésus du judaïsme.

Vous êtes du diable, votre père, dit encore Jean, Jn. 8 :44.

Cette allégation est terrifiante : elle prépare la « désaltérisation ». Or l'Écrit johannique est toujours là, vivant et menaçant.

Arrêtons-nous un instant encore sur cette terrible décision pénale : Pilate disposait d'une instance judiciaire locale : le Sanhédrin. Mais le Sanhédrin ne se réunissait pas durant une fête juive : pour le saisir, le procurateur eût dû attendre la fin de la Pâque. Le pouvoir de condamnation capitale appartenait de toute façon à l'occupant. Et Pilate n'ignorait sans doute pas que le droit talmudique avait pratiquement abandonné la peine de mort (voir p. 43) : malgré les prétentions blasphématoires de Jésus à s'approprier le Jugement dernier, il eût sans doute été acquitté, le tribunal le confiant à la justice divine plutôt qu'à la justice humaine ; c'était la tendance rabbinique de l'époque. Pilate fit donc acte de totalitarisme en confiant une décision de justice à une foule vociférante, qui n'était même pas réunie en un simulacre de tribunal populaire. De toute façon, l'accusé avait répondu de façon positive à la question : « Es-tu le roi des juifs ? », Mc 15 :2. Dès lors, pour le droit romain, qui ne pouvait tolérer en Judée un autre pouvoir que celui de Rome, la culpabilité de Jésus, rebelle, était établie. Mais à aucun moment la responsabilité juridique des juifs n'était engagée. L'accusation de déicide ne reposait, ne repose sur rien : mortel mensonge, auquel a renoncé, il y a soixante ans, le Concile, de façon un peu hésitante : « Encore que des autorités juives, avec leurs partisans, aient poussé à la mort du Christ, ce qui a été commis durant sa Passion ne peut être imputé, ni indistinctement à tous les juifs vivant alors, ni aux juifs de notre temps ».

La fossilisation des textes fondateurs.
Quelques réflexions complémentaires sur l'Évangile de Jean

Les Évangiles ont été élaborés à partir d'épisodes transmis oralement, parfois retrouvés sous forme de fragments de quelques lignes, parfois reconstruits en partie *a posteriori*, les *logia*. Les premiers textes complets sont tardifs : les paléographes ont découvert un petit morceau de parchemin contenant quelques versets de Jean, datant de la première moitié du IIe siècle. Mais ce n'est qu'un fragment. Il existe quelques éléments manuscrits plus longs, appartenant au IIIe siècle... Les premiers textes complets que nous possédions, comme le *Codex Vaticanus*[41], ont été transcrits aux IVe et Ve siècles... La constitution définitive des Évangiles, qui a été longue, reste donc un processus assez mystérieux.

Une chose est certaine : ce n'est pas un disciple à la mémoire infaillible qui les a rédigés au soir de la Crucifixion ; ce sont plutôt des collèges d'érudits, et ils ont œuvré bien après les faits ; parfois leur rédaction a fait place à des intentions autres qu'historiques : le processus d'élaboration du second Testament n'a pas été différent de celui du premier ; il a été lent et progressif. Il faut bien se représenter cela : en matière d'Évangiles, nous sommes dans la même situation qu'un historien n'ayant longtemps connu la révolution française que par quelques témoignages oraux, transmis d'une génération à l'autre ; et qui soudainement, de nos jours, plus de trois cents ans après les faits, découvrirait enfin un récit plus ou moins historique de cet événement.

---

41. Marcel Simon et André Benoît, *Le Judaïsme et le Christianisme antiques*, PUF, nouvelle édition 2015 (1998).

L'Évangile de Jean a été le dernier à être rédigé, sans doute peu après l'an 100 selon les spécialistes. Peu contestent l'idée qu'il s'agit d'une création collective, par une « école johannique ». Nous pensons que cette école était essentiellement composée de païens christianisés, ignorants du judaïsme dont était pénétré Jésus. D'abord en raison de ce verset :

> Je vous donne un commandement nouveau : aimez-vous les uns les autres, Jn. 13 :34.

Or Jésus connaissait parfaitement l'Écriture, il en donne un certain nombre d'exemples. Évidemment il n'ignorait pas ce verset fondamental de l'éthique juive :

> Aime ton prochain comme toi-même. Lév 19 :18.

Il est impossible qu'il ait qualifié de « commandement nouveau » cette paraphrase de l'amour du prochain.

Et puis il y a ce verset, que nous avons déjà cité :

> Vous êtes du diable, votre père Jn. 8 :44.

Comme nous l'avons vu, Satan, dans le judaïsme, n'est pas un principe indépendant du mal ; c'est simplement l'accusateur, dont il est question dans Job. Faire « des juifs » les « fils du diable », c'est méconnaître la « *satanologie* » juive ; c'est aussi méconnaître gravement tous les versets de l'Élection, où Dieu annonce, dans le cadre de l'Alliance, Son choix d'Israël pour en faire un peuple saint, un peuple de prêtres ; c'est oublier ce verset de l'Exode que nous avons déjà cité :

> Tu diras au pharaon : Israël, mon aîné (4 :22)

C'est pourquoi, malgré tous les arguments d'érudits infiniment plus compétents que nous, nous n'excluons pas que cet Évangile partisan et offensif, qui trahit tout ce que les synoptiques veulent nous apprendre au sujet de la personnalité ouverte et aimante de Jésus, ait été rédigé plus tard, à un moment où la théologie de la substitution parfaitement installée débouchait sur le virage de la victimisation. Car il s'était ouvert au milieu des Romains un conflit entre les chrétiens, secte nouvelle et incompréhensible, astreinte aux sacrifices d'État, et les juifs, composante étrange de la sphère romaine, mais acceptée parce qu'ancienne et dotée d'une identité nationale : citoyens romains, colonisés, les émigrés de Judée avaient obtenu d'être dispensés de ce culte sacrificiel.

Aspects particuliers de l'altérité irréductible chrétienne
L'altérité féminine dans le christianisme
Les Églises réformées ont accordé la prêtrise aux femmes.
Qui mettrait en doute l'égalité et la liberté de la femme dans le catholicisme ? Notons cependant que, comme dans le judaïsme, la femme catholique n'a pas droit à la fonction ecclésiastique, sinon de façon marginale ; la situation semble cependant devoir évoluer un peu sous le magistère du pape François ; d'autre part les fidèles des deux sexes participent aux offices religieux côte à côte.

La monogamie a été imposée dès l'origine par le christianisme.
La femme catholique ne risque pas de se voir refuser un libelle de divorce : le divorce religieux lui est refusé ; et après divorce civil elle perd, ainsi que son nouveau mari, ses droits à certains sacrements. À cet égard les églises réformées sont plus souples. Pourquoi ce refus du divorce ?
Or il a été dit : quiconque répudie sa femme, qu'il lui donne un « *guet'* », un libelle de divorce. Mais moi je

vous dis : Tout homme qui répudie sa femme, hormis le cas de *pornaion* (terme grec) la fait devenir adultère. Et qui épouse une répudiée commet l'adultère, Mt. 5:31-32.

Sans doute Jésus avait-il assisté à des répudiations brutales et injustifiées. Cette nouvelle prescription légale protégeait les épouses dont le statut était fragile. Mais on permettra à un observateur extérieur de trouver curieux que la réserve de Jésus, celle du « *pornaion* » n'ait pas été retenue et exploitée. Il est vrai que la traduction de ce mot est indécise : simple inconduite ? péché sexuel ? En tout cas, parce qu'il n'était pas marié, et que son expérience familiale était tout à fait particulière, Jésus a exposé beaucoup de couples chrétiens à d'énormes difficultés : quand l'amour conjugal, quand la compréhension et l'indulgence se transforment en haine, la vie à deux devient non seulement pénible, mais dangereuse. Pour une épouse rejetée, vaut-il mieux être assassinée ou répudiée ? Rappelons-nous Anne Boleyn ! Et toutes celles, si nombreuses, qui ont subi son sort de façon occulte. Il fut un temps où l'on appelait ce mode brutal et définitif de séparation le « divorce à l'italienne », qui est encore banal dans certains pays. Il est des cas ultimes où le divorce est une nécessaire soupape de sûreté.

À propos du statut de la femme dans la société chrétienne nous voudrions faire encore une observation : presque tous les sorciers condamnés au bûcher ont été… des sorcières. C'est un indice de la façon dont la société considérait la femme. Saint Augustin et saint Thomas d'Aquin déniaient à la femme une pleine égalité anthropologique avec l'humain de sexe masculin.

L'homosexualité

La position chrétienne à l'égard de l'homosexualité et son évolution sont très superposables à ce que nous avons exposé à propos du judaïsme. Au départ l'Église s'est fondée sur l'interdiction formulée par le Lévitique (Lév. 20:13). Saint Paul s'est aussi exprimé:

> Les hommes, délaissant les relations naturelles avec les femmes se sont mis à brûler de désir les uns pour les autres, entretenant entre hommes des relations infâmes... Rm. 1:26-27.

Rappelons qu'une des principales accusations portées à l'encontre des dirigeants des Templiers a été celle de sodomie. Elle a été déterminante dans leur condamnation (1313). À l'heure actuelle la compréhension fait place à la sévérité, sauf dans les milieux intégristes. La pédophilie de certains prêtres est un des grands problèmes des Églises catholiques dans le monde. Elle fait surface dans notre pays à l'heure actuelle.

L'altérité animale

Elle est pratiquement absente des Évangiles: les seules allusions aux animaux y sont l'ânon blanc sur lequel Jésus entre à Jérusalem, Jn. 12:14, la nourriture accordée aux oiseaux par le Seigneur, Mt. 6:24+, et des comparaisons entre les fidèles et les brebis d'un troupeau (Mt. 25:33) – sans oublier le coq de Pierre! Et c'est normal: Jésus, juif, bibliste érudit, adepte de l'observance de la Torah, n'avait aucune raison de répéter de façon particulière, dans son enseignement itinérant, ce qui se trouvait déjà dans la Loi, qu'il respectait, et qui était connu de la plupart de ses auditeurs. Mais dès lors que la Loi fut rejetée par Paul, tout un pan de l'institution biblique des relations de l'homme avec les animaux allait s'effondrer dans le monde chrétien pour des siècles, jusqu'à François d'Assise... et même après, malgré la lecture du Psaume 124, le psaume de la nature.

La diabolisation dans le christianisme : Satan

Le christianisme a progressivement abandonné la conception juive de Satan. Satan est devenu une puissance, la puissance du mal. Et il a gagné son autonomie, jusqu'à avoir, lui, l'ange membre de la cour céleste, ses propres anges :

> Allez loin de moi, maudits, dans le feu éternel qui a été préparé pour le diable et ses anges... Mt 25 :41.

Satan est donc devenu le symbole du mal. Qui relève de sa puissance propre est frappé d'une identité maléfique ; il ne fait plus partie de l'humanité normale ; il devient lui-même un « *petit satan* » : il entre dans le processus de la diabolisation, porteur de déchéance et de culpabilité collectives, instrument de l'altérité la plus irréductible et prélude à la désaltérisation. Luther encore catholique était habité par le paradigme du diable : il était là, immédiatement présent, malfaisant, intriguant, surveillant l'homme pour mieux le maîtriser dans sa chute.

Le christianisme a largement usé de ce paradigme satanique : les juifs ont été diabolisés, et d'abord, comme nous le verrons, par les pères de l'Église ; ils ne sont plus entièrement humains ; leur persécution est devenue légitime et leur enfermement nécessaire. La diabolisation des juifs a culminé dans les « Protocoles des sages de Sion », ce faux de la police tsariste, l'Okrana, à la fin du XIXe siècle. Son succès a été mondial ;

c'est aujourd'hui encore, dans maints pays, un maléfique succès de librairie, socle persistant de l'antisémitisme le plus brutal.

Pourquoi cette diabolisation ? En vertu de la substitution, toujours elle : les Juifs sont autres ; ils sont des autres rebelles, déterminés à rester dans l'erreur. Cette détermination ne peut relever d'une simple décision humaine : car elle serait alors plus forte et plus efficiente que la volonté christique et que la perfection chrétienne ; c'est impossible. Elle tire donc nécessairement son succès d'une puissance surhumaine : celle de Satan.

La diabolisation, antique, médiévale et moderne, a été le fondement et le prélude de la Shoah.

L'hérésie

Nous avons déjà rencontré le cruel traitement chrétien de l'hérésie en évoquant brièvement la persécution des Cathares, et notamment la crémation des fidèles dans la cathédrale de Béziers, en 1209. Nous retrouverons les bûchers plus loin, à propos de l'Inquisition.

L'hérésie a aussi connu, dans l'Église, un traitement moins radical : l'excommunication ; de toute façon, aujourd'hui, on n'allume plus de bûchers. Comme le *kareth*, le retranchement juif, dont elle est inspirée, l'excommunication est une sanction sévère : celui qui en fait l'objet est exclu du sacrement de l'eucharistie, voire de funérailles chrétiennes ; pour une famille chrétienne c'est une situation très pénible.

Dans le protestantisme, l'excommunication est prononcée par la communauté. Elle doit être le prélude au repentir et à la réintégration[42]. Le processus est plus formel dans le catholicisme : l'excommunication est prononcée à différents niveaux de la hiérarchie ecclésiastique, à l'égard d'un pécheur grave refusant la rétractation et le repentir.

La « désaltérisation » dans le christianisme
Une étape préliminaire : le mépris absolu de l'Autre, dépossédé de son humanité

Nous avons cité de nombreux versets de Jean fondant l'altérité et la « désaltérisation » dans le christianisme. Voici encore quelques épithètes glanés dans la littérature patristique, imitée plus tard par Martin Luther :

Grégoire de Nysse (IVe siècle), sur les juifs : meurtriers du Seigneur, assassins des prophètes, comparses du diable, race de vipères, délateurs, calomniateurs, obscurcis du cerveau, levains pharisaïques, sanhédrin de démons, maudits, exécrables lapideurs, ennemis de tout ce qui est beau…

Jean Chrysostome[43] (IVe siècle) : la où est la courtisane le lieu s'appelle le lupanar ; que dis-je, pas seulement lupanar et théâtre : la synagogue est aussi repère de brigands et de bêtes fauves. Les juifs n'ont pas la notion des questions sacrées et ne prévalent guère sur les moutons et les truies, menant une vie débauchée et gloutonne.

Notons que le thème de la truie juive se retrouve dans les sculptures de l'église cathédrale de Colmar, et que des sculptures obscènes représentant des musulmans ornent les chapitaux de certaines colonnes des bâtiments abbatiaux du

---

42. J. M. Nicolle, ouvrage cité, p. 283 ; Dubost M. et coll., Encyclopédie Théo, ouvrage cité.
43. Sacrilège : nous nous refusons à accorder le titre de Saint à Jean Chrysostome.

Vézelay : les outrances des Pères de l'Église ont beaucoup inspiré les artistes ecclésiastiques, romans ou gothiques. Et la pesanteur du catholicisme à l'égard de la sexualité trouve un exutoire dans la lubricité supposée des croyants des autres religions. Poursuivons :

Saint Augustin (IVe siècle) : la fin du Seigneur est venue. Ils le tiennent, les juifs, ils l'insultent, les juifs, ils le ligotent, les juifs, ils le couronnent d'épines, ils le souillent de leurs crachats, ils l'outragent...

Martin Luther

Les Juifs sont un peuple de débauche... leurs fanfaronnades sur leur lignage, la circoncision et leurs lois doivent être considérées comme une cochonnerie.

Ils sont remplis d'excréments du diable... dans lesquels ils se vautrent comme des pourceaux.

Quant à la synagogue, c'est une putain incorrigible et une souillure du diable.

Ces « vers venimeux et vénéneux » doivent être punis[44].

C'est malheureusement une constante politico-littéraire : lorsqu'on veut priver un ennemi de sa qualité d'homme, pour mieux justifier son élimination, on commence par l'assimiler aux animaux les plus vils. Ces propos lamentables, dans lesquels certaines similitudes sont frappantes, ne sont donc pas simplement des écarts de langage inspirés par l'indignation ou la colère du substituant rencontrant une résistance. Non, ils

---

44. Luther va jusqu'à envisager une « solution finale ». Ces propos sont tirés de son livre : *Von den Jüden und ihren Lugen,* Des Juifs et de leurs mensonges, publié en 1543 ; ils ont bien sûr été désavoués plus tard par les églises réformées.

appartiennent à une volonté de déshumanisation : la « *désaltérisation* ». Nous avons évoqué des similitudes. Dans « *Mein
Kampf* » Hitler écrit que là où il y a un juif on finit par être
en présence d'un gros vers blanc, ou encore de microbes
maléfiques. Luther a lui aussi recours à l'image des vers.
Et n'oublions pas les « vipères lubriques » de la littérature
communiste !

Le cas de Luther est spécial : sa violence antijuive s'enracine dans la désillusion : il était persuadé que les juifs se
convertiraient en masse à sa nouvelle conception du christianisme, ce qui évidemment ne s'est pas produit. Une symbiose
s'est dessinée plus tard entre une partie du luthéranisme allemand et le nazisme génocidaire. Mais n'oublions pas le pasteur
Niemöller.

Attachons-nous trop d'importance à ces injures si anciennes ?
Hélas non ! Elles ont été l'un des fondements de ce que Jules
Isaac a appelé « l'enseignement du mépris », qui a institution-
nalisé l'antisémitisme dans nos sociétés pendant des siècles.

La chute dans la désaltérisation : une piste sanglante

Dans l'Évangile de Jean s'amorce l'étape suivante de la désaltérisation :

> Hors de moi vous ne pouvez rien faire ; si quelqu'un ne
> demeure pas en moi il est jeté dehors comme le sar-
> ment, il se dessèche, on le ramasse et on le jette au feu
> et il brûle, Jn. 15 :5-6

Peu de mes frères chrétiens ont pleinement réalisé ce que
véhicule ce terrible verset du sarment : la promesse et la légi-
timation des bûchers.

Saint Jérôme (IVe siècle) :

> La piété et le zèle pour la gloire de Dieu ne peuvent être
> qualifiés de cruauté.

Saint Jérôme est connu comme polémiste et traducteur ; il
est entouré d'un immense respect dans le monde chrétien.
Pourtant, venant d'un Père de l'Église, cette phrase est terrifiante. D'abord elle illustre en quelques mots la perversité de
l'« appropriation de Dieu ». Ensuite elle légitime tout ce dont
est porteuse, en matière d'intolérance et de cruauté, ce que
nous avons appelé la « désaltérisation » : finalement, si je tue
les hérétiques, c'est pour leur bien et pour le plaisir et la gloire
de Dieu. Ainsi soit-il !

Les Évangiles synoptiques ne sont pas complètement exempts
de brutalité ou de violence. Dans Mathieu, Jésus dit :

> N'allez pas croire que je sois venu apporter la paix sur la
> terre, je ne suis pas venu apporter la paix mais le glaive,
> Mt. 10 :34.

D'autre part le récit des noces de Cana (Jn. 2 :1-11) nous
interroge :

> Femme, que me veux-tu ? répond Jésus à sa mère
> (verset 4).

S'il était, à ce moment de sa carrière évangélique, réellement
persuadé qu'il était « Fils de Dieu » par l'entremise de sa mère,
ne devrait-il pas, tout naturellement, s'adresser à elle avec plus
de déférence ? N'est-elle pas l'Élue de Celui qu'il appelle Son
Père, pour un destin exceptionnel ? Réellement cette apostrophe brutale interpelle : où est la douceur de Jésus ? Où est
son respect envers celle à qui un culte allait être dédié dans

tout le monde catholique ? Pourquoi les mêmes textes peuvent-ils aboutir à la fois à Mère Térésa et à Savonarole ? Savonarole ne doutait jamais. Mère Térésa a révélé avoir douté.

Que des torrents de sang aient été appelés à couler sur la trace des prédicateurs lancés sur les pas du « doux Jésus » ne devrait pas susciter l'étonnement. Car il y eut l'abomination des croisades, les drames de l'inquisition, les cruautés des expulsions, les exactions des colonisateurs progressant derrière la Croix, sans oublier la persécution des réformés et l'ensemble des guerres de religion. Après tout, enfumer des hérétiques dans des grottes, et défenestrer des grands-mères sur les pointes aiguisées des hallebardes des dragons depuis les étages[45], n'était-ce pas faire acte de piété et de zèle pour le Seigneur, comme le justifiait saint Jérôme ? C'est pourquoi le monde chrétien bien pensant de l'époque n'a guère protesté.

Il faut se rappeler ce qui se passa à Jérusalem lors de l'arrivée des Croisés, qui s'étaient fait la main au cours d'étapes urbaines précédentes : toute la population de la ville sainte, oui, la population toute entière, fut passée par l'épée. Les cadavres des musulmans et des chrétiens pourrirent dans les rues pendant des semaines – mais pas ceux des juifs. Non que la Ville sainte n'en abritât pas, où qu'ils aient été épargnés. Mais les croisés les entassèrent dans la plus grande synagogue de la ville où ils les firent brûler. Qu'a dit Jésus ?

---

45. Les « Dragonnades », les exactions horribles des Dragons de sa Majesté très catholique Louis XIV ont suivi dans les provinces, les Cévennes et le Poitou, la révocation de l'Édit de Nantes (1685).

Celui qui n'aime pas demeure dans la mort. Quiconque hait son frère est un meurtrier ; or vous savez qu'aucun meurtrier n'a la vie éternelle demeurant en lui, Jn. 3 :15.

Ce terrible épisode mérite un instant de réflexion.

D'abord, pourquoi ce massacre ? Il n'était pas réclamé par les opérations militaires. C'était, à l'état pur, le résultat de la haine de l'Autre, l'infidèle : un exemple absolu de désaltérisation. On peut même se demander s'il ne s'inscrit pas dans une volonté, au moins inconsciente, de *changement de peuple*, marche ultime de l'escalier du malheur.

Le brûlement des juifs dans la synagogue mérite aussi que l'on s'y arrête. La crémation des vivants a fait partie de la culture répressive chrétienne. Elle sort donc du simple événement ponctuel. Pourquoi ? Au nom de l'annihilation totale inscrite dans le concept de la « désaltérisation » ? En vertu de la pureté apportée par le feu ? Par cruauté à l'égard du non-chrétien, au nom de la substitution et du châtiment du refus ? Parce que les juifs relèvent du diable, qui est entouré de flammes ? Parce que par essence les hérétiques ont perdu leur qualité d'homme ?

On me dira peut-être : « Assez de références à de vieilles lunes » ! Ces tristes événements sont si anciens qu'ils ne nous concernent pas. Vraiment ? 1941, est-ce assez récent pour nous en préoccuper ?

La lecture d'un livre récemment publié par Anna Bikont[46] nous a profondément ébranlé : cette journaliste polonaise y raconte son enquête sur un crime contre l'humanité commis par des villageois dans la Pologne de 1941, à Jedwabne : ils

---

46. Anna Bikont, *Le Crime et le Silence*, Denoël, Paris, 2011.

entassèrent les habitants juifs dans une grange puis y mirent le feu, assassinant de façon horrible des centaines d'hommes, de femmes et d'enfants. Ce massacre n'est pas simplement une horreur de plus de la guerre. Il a été commis sans qu'il y ait de troupes allemandes dans le village ; en fait la raison pour laquelle nous l'évoquons ici est que *l'initiateur du crime avait été le curé du village*, dans son homélie dominicale. Le verset du sarment, ce verset du chapitre XV de Jean, a donc magnifiquement germé pour devenir un arbre maléfique. Ses frondaisons habitent au moins l'inconscient des fidèles d'un certain intégrisme catholique. Ce curé de village avait cru normal de s'ériger en inquisiteur et de commettre le blasphème suprême : prétendre connaître la volonté de Dieu – de quel Dieu ? Cet intégrisme est comme le péché de Caïn : *tapi à la porte*.

Revenons aux Croisés. Leur ignorance était abyssale. Ils ne savaient pas qu'il y avait des chrétiens arabes à Jérusalem. Ils portaient les mêmes vêtements : ils furent occis avec les autres. Ceux qui aujourd'hui, fort légitimement (nous en sommes), s'indignent du traitement réservé aux Chrétiens d'Orient par les barbares de Daech feraient bien de se rappeler, quelques instants, que des chrétiens ont commis dans la même région les mêmes abominations il y a mille ans : le vertige, non, le naufrage des religieux. Certains vantent, pour contrer les méfaits de la théologie, ce qu'on appelle « la foi du charbonnier ». En vérité, cette foi primaire est encore plus dangereuse, car elle est perméable à l'intégrisme massacreur, qui se complaît dans l'ignorance et se prête à ce que nous avons appelé l'usurpation du Nom : les croisés sanguinaires de la vallée du

Rhin ou de Constantinople tuaient avec ce cri terrible dans la bouche : « Dieu le veult ».

Le sang dans le christianisme

Tout ce sang versé ne représente-il que des aléas d'une Histoire polluée par la logique de la substitution ? Pas seulement à notre sens. Après le Déluge la Bible sacralise le sang : les Lois dites « noahides » demandent à l'homme de s'abstenir de le répandre et de le consommer (Gn. 9 :5-6) ; l'humanité entière est ainsi invitée à respecter le sang de façon absolue.

Mais qu'a fait le christianisme ? Il a été imprudent : en choisissant d'ériger le sang en symbole sacrificiel, en imposant au fidèle de consommer virtuellement le « sang du Christ », il a fait du sang un élément familier, banal et même spirituellement désirable, au moins dans l'inconscient collectif : voici le sang qui devient, de proscrit, prescrit ! Les disciples sont d'ailleurs choqués :

— Elle est dure, cette parole, disent-ils (Jn, 6 : 60) :

Il y a autre chose encore. Le peuple des chrétiens a vite oublié la représentation du Christ en gloire, bénissant dans la paix. Il l'a représenté partout comme la triste victime de la Passion, crucifié, torturé, blessé, *sanglant*. Les milliers de représentations de Jésus sur la croix, dans les églises, à tous les carrefours, sur les places, ont contribué à une banalisation de la mort violente, appelant de plus à la vengeance. Que le second commandement du Décalogue, qui interdit la représentation humaine, et qui, en principe, lie la chrétienté elle aussi, oui, que ce commandement est sage !

La désaltérisation dans l'au-delà : la géhenne chrétienne

La tradition chrétienne populaire attribue à la géhenne les supplices que nous évoquions dans notre petite histoire des géhennes nationales. Jésus lui-même évoque le supplice du feu[47] :

> Mais moi, je vous dis que quiconque se met en colère contre son frère mérite d'être puni par les juges ; que celui qui dira à son frère : « Racaille » mérite d'être puni par le Sanhédrin ; et que celui qui lui dira : « Insensé » ! mérite d'être puni par le feu de la géhenne, Mt. 5 :22.

> Allez loin de moi, maudits, dans le feu éternel qui a été préparé pour le diable et ses anges… Mt 25 :41.

> Et si ton œil est une occasion de péché, arrache-le ! Mieux vaut pour toi entrer borgne dans le Royaume des cieux que d'être jeté avec tes deux yeux dans la géhenne où le ver ne meurt point et le feu ne s'éteint pas, Marc 9 :47-48.

Et, dans la doctrine chrétienne, ce feu justicier est éternel.

Certains théologiens ont éprouvé du mal à concilier le paradigme chrétien de l'Amour divin absolu et les souffrances infernales. Ils ont décidé que c'est en rejetant cet Amour que les pécheurs ont mérité la géhenne. Et pour certaines écoles théologiques chrétiennes toutes ces images sont allégoriques : la vraie punition du pécheur est la séparation d'avec l'Amour divin, et c'est cela le feu qui le brûlera.

---

47. Jules-Marcel Nicole, *Précis de Doctrine chrétienne*, Éd. de l'Institut biblique, 94130 Nogent-sur-Marne, 1983 et 2002 (6e édition).

La substitution et le comput du temps. La Faute

La théologie de la substitution a revêtu, dans certaines religions, et d'abord dans le christianisme, une expression inattendue : la manière de concevoir le temps. Le judaïsme décompte le temps (à l'aide de repères devenus discutables) depuis les origines jusqu'à la « fin des temps ». Cela lui confère la capacité de concevoir l'espace-temps sans limite : le temps est le témoin de l'action de Dieu, Maître de l'histoire. Comme nous l'avions déjà souligné, l'écoulement continu du temps depuis l'instant zéro de la création permet une appréhension continue des événements, et une connaissance directe, naturelle, personnelle, de chacun de nos ancêtres. La génération d'Adam, ou celle d'Abraham, ou celle de Moïse nous appartient, comme celle de notre père ou de notre grand-père.

Le christianisme a eu l'audace de mettre fin à ce mode de représentation du passé : le temps a commencé à la naissance de Jésus. Tout ce qui s'est passé avant est désormais noyé dans la brume de l'imperfection. Ceux qui ont vécu avant ont-ils vraiment vécu ? Ont-ils pu mener la vie d'un juste ? Ont-ils eu un accès au salut ? Cette césure dans le temps s'appuie sur le paradigme d'une « nouvelle création ». Il rejette donc dans une obsolescence au moins partielle la Création originelle, la vraie, sans laquelle nous, les créatures, nous n'existerions pas. Cette opinion a un garant, et non le moindre : saint Paul, que nous avions déjà cité :

> « En disant : "Alliance nouvelle", Il rend vieille la première ; or ce qui est vieilli et vétuste est près de disparaître », Hébr. 8 :8 :13.

Le Créateur de l'univers a donc été admis à faire valoir ses droits à la retraite, ou au moins à une retraite partielle.

Le décompte chrétien du temps, en temps qu'institution nouvelle, a d'autres implications théologiques. Selon la Tradition orale le Créateur avait accordé à la Faute du couple premier un pardon immédiat (Lév. R. 19 : 12); la faute était en effet *nécessaire* pour qu'il y ait une humanité : sans expulsion du Paradis, et sans instauration de la mort, l'humanité se fut réduite à une seule famille édénique. Dans la spiritualité juive la faute était donc indispensable : elle était un piège tendu par Dieu, dans lequel l'homme *devait* tomber. Sa sanction, l'expulsion et la vie terrestre, était en elle-même le début de la recherche du salut par la grâce de l'Alliance originelle : bénéficiaire de la sollicitude divine, qui lui fournissait ce qui, dans sa mission, ne dépendait pas de lui, le soleil, la pluie, le cycle des saisons, l'homme, but ultime et instrument associé de la création, pouvait, par son implication dans l'accomplissement des lois de la Torah, prendre part directement à l'œuvre divine et acquérir, par son observance, son accès au monde à venir. L'attente devenait celle du Messie, du messager de la fin des temps, et non celle d'un Sauveur. On nous rétorquera que, justement, le Christ était, par essence, Le Messie, le *machiyar* en hébreu, l'Oint : c'est la signification même du mot grec *Christos*. Mais il a été un Messie sans temps messianiques : pour cela il faudra attendre son retour, la *parousie*.

Notons que la Cabbale fait une grande place à la Faute. Elle a échangé des concepts avec le christianisme au cours de son développement médiéval : dans la culture ambiante les idées sont comme les particules fines; on les inhale, souvent sans s'en rendre compte.

Le nouveau mode de comput du temps a été accompagné, au nom de la nouvelle Création, d'un transfert de la fonction du *chabat* au Dimanche ; c'est là autre bouleversement, destructeur d'un des messages essentiels de la Bible : la succession hebdomadaire des *chabat* avait créé une sorte de chaîne indestructible, dont les maillons, accrochés les uns aux autres, se succédaient depuis la série inaugurale des premiers sept jours. Chaque semaine nouvelle était ainsi solidement insérée dans l'œuvre du Créateur.

En suivant Paul le christianisme a abandonné les lois de la Torah ; il s'est alors éloigné plus encore de l'insertion de l'homme dans la glèbe de sa planète, qu'il était invité à cogérer et à protéger. Malgré la parenthèse de François d'Assise, l'ami de la nature. Il s'est ainsi privé d'outils écologiques majeurs, ce qui a pesé longtemps sur sa vision du monde. À cet égard la récente Encyclique du pape François, « Laudate si », qui est directement inspirée du Premier Testament, représente un changement majeur.

Tous ces changements chronologiques conduisaient nécessairement à un effacement du passé : le Marcionisme, la doctrine de cet évêque antique qui voulait jeter au panier toute la Bible hébraïque, Psaumes compris, s'enracinait tout naturellement dans le comput nouveau. Il n'a heureusement pas été suivi, du moins pas complètement, par l'Église. Car la Bible hébraïque est demeurée, parfois sous des avatars comme la Septante. Mais dans cette ère nouvelle de temps amputé et de société refondée elle n'a plus été lue qu'avec un souci : la tordre, de façon à faire découvrir, dans chacune de ses lignes, l'annonce de l'avènement du Christ : ce texte antique lui-même a fait l'objet d'une substitution. Était-ce un progrès que de rejeter l'immense thésaurus de sagesse contenu dans la Tradition orale, représentant des siècles d'étude, de réflexion, de questions et de réponses ? Était-ce raisonnable de jeter au bûcher, des siècles durant, des charrettes, des tombereaux entiers de rouleaux de Talmud, au nom de la substitution triomphante ? Mais non ! Imprudence immense, insondable présomption, suicide spirituel. Depuis quelques années des prélats européens s'installent tous les ans, pendant quelques jours, sur les bancs d'écoles talmudiques New Yorkaises : ainsi s'amorce un mouvement timide de réappropriation de cette sagesse oubliée.

Le christianisme, en modifiant sa vision du temps, a cependant échappé à l'un de ses corollaires : il a eu la sagesse de ne pas détruire les monuments de ses prédécesseurs, comme l'on fait tant de révolutionnaires et d'extrémistes religieux.

Le pouvoir et la foi

Les actes des Apôtres et les Épîtres de Paul nous permettent de suivre l'organisation des Églises primitives. Des exégètes ont estimé le nombre de fidèles en analysant la capacité d'accueil des petites salles utilisées pour les repas en commun, les *agapes* : peu de monde, quelques dizaines de personnes au maximum. La hiérarchie épiscopale première était lâche : ces modestes Églises, si disséminées, ne représentaient pas un pouvoir : au contraire, elles étaient victimes du pouvoir romain, qui se défiait d'elles.

La décision de Constantin, de faire du christianisme une religion d'État, devait tout changer.

La certitude évangélique avait désormais un pouvoir, celui de l'État. Et la certitude évangélique devint rapidement persécutrice : les courants Nestorien et Arianiste faisaient du Christ plus un homme qu'un Dieu ; ils étaient très populaires. Ils, devinrent des hérésies et furent traités comme telles, de façon implacable : le Concile de Nicée (325) avait décidé que celui qui lisait ou possédait les écrits d'Arius encourrait la mort. Oui, la nouvelle religion, devenue religion ET pouvoir politique, devint implacable à l'égard de l'Autre, le non-chrétien.

Une brève histoire du christianisme substituant en Gaule, future France

LES ORIGINES

Parce que nous sommes en France, nous allons nous attacher un instant à l'étude de la façon dont le christianisme a traité la foi à laquelle il a voulu se substituer : le judaïsme. Ce processus illustre en effet l'effet pernicieux de la confusion entre le politique et le religieux, à laquelle Jésus était opposé :

Rendez à César ce qui est César et à Dieu ce qui est à Dieu, Luc 20:25.

Une bonne entente régnait, dans les campagnes gallo-romaines, entre les nombreuses communautés juives et les nouvelles communautés chrétiennes que fondaient des missionnaires comme saint Colomban (543-615) dans la future Franche-Comté – souvent en plaquant le nouveau culte des saints sur celui des membres du panthéon gréco-latin, longtemps vivace : plus d'une fois la vierge Marie a emménagé dans les oratoires de la déesse Athéna. La convergence de l'action des missionnaires chrétiens et du réseau cultuel païen préexistant a permis dans bien des régions européennes une christianisation sans heurts : il est de moments de l'histoire où l'affaiblissement spontané de la foi ancienne a permis à la substitution de progresser sans violence. Soyons-en conscients !

Certains seront peut-être étonnés d'apprendre l'existence de ce peuplement juif antique de la future France. Il ne faut pas oublier que les juifs représentaient le dixième de la population romaine. Il y avait des gladiateurs et des militaires juifs dans les armées impériales. L'un des grands sages du Talmud, Rech Laqich, l'interlocuteur fidèle de rabbi Yohanan, avait été gladiateur. Dans le désert spirituel païen, meublé par bien des sectes, comme le gnosticisme ou le culte de Mithra, le judaïsme suscitait un grand intérêt et de nombreuses conversions.

On a trouvé à Trèves des décrets impériaux du IIIe siècle accordant des réductions d'impôts aux juifs de cette ville, à condition qu'ils respectent les premiers chrétiens. Les auteurs de l'« Esquisse de l'Histoire du peuple juif », parue dans le « Dictionnaire encyclopédique du judaïsme »[48] ont publié une carte étonnante des peuplements juifs des campagnes de la Gaule gallo-romaine. Si ces populations avaient été éparses et très minoritaires, elles n'eussent pas, plus tard, suscité les diatribes de l'évêque Agobart. Au Ier siècle, après la destruction de Jérusalem, la présence juive en Provence (Provincia romana) a augmenté par un flux d'émigration hors d'Israël ; ce peuplement semble avoir joué un rôle dans le développement de certaines villes comme Lunel. L'arrivée légendaire de personnages des Évangiles aux Saintes-Maries-de-la-Mer et le récit traditionnel de la fondation de la ville de Saint-Jacques-de-Compostelle s'inscrivent dans cette perspective.

---

48. Cerf, Robert Laffont, Paris, 1993, p. 1 144-1 145.

Comme nous l'avons déjà souligné des documents et des traces archéologiques font état d'implantations juives dans un très grand nombre de bourgades du pays d'Oc d'abord, mais aussi des pays d'Oïl. Les juifs étaient cultivateurs et artisans ; ils étaient parfaitement intégrés dans la société paysanne d'alors. C'est ce qui fit leur malheur : l'existence de communautés non catholiques, dont la vie familiale et les idées séduisaient parfois leurs voisins, fut de plus en plus mal tolérée par l'épiscopat des Gaules. Face aux cultes païens, l'emprise de l'Église n'était encore pas complète. Des oratoires polythéistes ont été bâtis dans l'espace gallo-romain au IVe siècle encore. Les prêtres et diacres de cette époque étaient peu instruits, alors que les rabbins avaient derrière eux plus d'un millénaire de tradition sapientielle. Voici que des baptisés se laissaient entraîner vers cet immense péché : la « judaïsation ». On le sait par des correspondances épiscopales et surtout par les diatribes anti-juives de l'évêque Agobart de Lyon (VIIIe siècle). Mais du temps de Charlemagne, la présence juive était suffisamment nombreuse et suffisamment banale pour qu'on trouvât des ministres juifs à la cour impériale. Des restes archéologiques juifs très anciens existent dans différentes villes de France. Au XIe siècle, dans un climat de grande harmonie, les juifs représentaient le cinquième de la population de Rouen, qui était un grand centre d'études talmudiques, comme Troyes, la ville de Rachi. Les vestiges de la maison d'étude de Rouen, « la maison sublime »[49], qui date du XIe siècle, vont faire prochainement l'objet d'une restauration. Il y a peu, nous

---

49. Nom que lui donne une inscription. On trouvera une mise au point sur ce trésor archéologique dans *Le Figaro* du 9 juin 2016.

avons lu dans un article consacré au protestantisme français que les protestants constituent dans notre pays la minorité religieuse la plus ancienne. Quelle erreur !

LE TOURNANT DES CROISADES

1096 : Les Turcs ont fermé l'accès à Jérusalem. Il y a des souvenirs chrétiens, il y a une présence chrétienne dans cette ville. Comme l'a fait remarquer Bernard Lewis[50], un balancier de l'Histoire va se mettre à osciller : le christianisme est né dans l'Israël antique et a essaimé dans l'Empire romain installé en Afrique du Nord et en Palestine[51]. Peu de temps après l'Hégire, au VIIᵉ siècle, l'islam va conquérir tous ces territoires, en convertissant les populations. La croisade, dans l'esprit de ses promoteurs, est un Retour. La première se met en marche sous l'impulsion d'Urbain II.

Pourquoi aller si loin occire des infidèles quand on en a sous la main ? Des dizaines de milliers de juifs furent massacrés dans la vallée du Rhin. Qu'avait dit Jésus ?

Moi je vous dis : aimez vos ennemis, Mt 5 :44.

Ce chiffre de plusieurs milliers est énorme, si l'on se rappelle qu'une grande ville de l'époque, comme Strasbourg, rassemblait environ dix mille habitants. La présence juive dans la vallée du Rhin était donc considérable. Des communautés entières préférèrent le suicide collectif aux égorgements, aux viols et aux incendies. Dans son livre « Deux peuples en ton

---

50. Lewis Bernard, *The Jews of Islam*, Princeton Univ. press, Princeton N.J., USA, 1984.

51. Ce terme géographique ne peut être utilisé qu'après la conquête romaine de 70. Il était inconnu auparavant. Dans son entreprise d'effacement de la Judée, après sa victoire, Rome a décidé de supprimer même le nom du pays vaincu. Elle a exhumé de l'Histoire celui d'une peuplade locale oubliée depuis des siècles, celle des Philistins, d'où elle a tiré le vocable « Palestina ».

sein »[52], Yuval Hariri attribue une grande valeur symbolique à ces suicides accompagnés d'infanticides familiaux : ils seraient à l'origine de la légende si meurtrière des crimes rituels. À l'occasion des croisades, des pogromes eurent lieu sur notre territoire, notamment à Blois. Dès lors plus rien ne fut comme avant.

LE CONCILE DE LATRAN

Ce concile entérina en 1215 la *dhimmitude* occidentale des juifs : ces derniers furent privés du droit de propriété et du droit d'avoir à leur service des employés chrétiens. Les mariages mixtes furent interdits. Des marques identitaires vestimentaires furent imposées aux habitants juifs, notamment une rouelle jaune, ancêtre de l'étoile jaune de Hitler. Et encore un couvre-chef spécial, qui devait être porté constamment : il a peut-être été à l'origine du port de la *kipa,* qui ne figure dans aucune des prescriptions de la Torah. C'est aussi à partir de cette époque que furent initiés les ghettos[53] ; le premier ghetto officiel a été constitué à Francfort en 1349. L'institution fut validée par une bulle papale en 1555. Il faut avoir visité un ghetto préservé, comme celui de Pézenas, avec ses portes immenses, massives, fermées dès le soir, pour ressentir l'oppression que devait engendrer l'isolement enclos d'une population en surnombre. Une telle visite donne toute sa portée à la phrase récitée lors du repas pascal juif, le *séder* :

> Aujourd'hui esclaves, demain, libres ; ici ; l'année prochaine à Jérusalem.

---

52. Yuval Israël Jacob, *Deux peuples en ton sein*, Albin Michel, Paris, 2012.
53. *Geto* signifie, en italien : fonderie. C'est dans une ancienne fonderie que fut créé le Ghetto de Venise.

105

Presque toutes les professions furent fermées aux juifs. Leur statut juridique se dégrada ; ils étaient désarmés devant les brimades et les extorsions des dignitaires de l'Église ou des féodaux. Cette plongée dans l'infériorité citoyenne en fit un corps étranger, bouc émissaire des catastrophes : les grandes épidémies de peste du XIVᵉ siècle leur furent attribuées. À l'instar des souvenirs cathares, les bûchers où des juifs brûlèrent ont laissé des traces dans la toponymie de plusieurs villes de France, comme Paris (*l'île aux juifs*), Strasbourg (*Judengasse*, rue des juifs ; Rue « brûlée ») ou Colmar (le « *jüdenloch* », le trou aux juifs). Des documents et des restes archéologiques relatifs à la population juive existent en Alsace à partir du XIIᵉ siècle... On trouve en Franche-Comté une trace indirecte de la présence juive : le culte de saint Vernier à Ornans, dans la vallée de la Loue. En effet, Vernier, un jeune homme, aurait été la victime d'un soi-disant crime rituel juif ; or cette calomnie du crime rituel, née en Angleterre, à Norwich, au début du XIIIᵉ siècle pénétra en France au cours de la deuxième moitié de ce siècle. S'il y eut accusation, c'est bien qu'il y avait présence.

Notons le pouvoir décisionnaire des conciles : la décision du concile avait force de loi, ce qui démontre l'intrication nouée entre le pouvoir politique et le pouvoir ecclésiastique, avec des modalités diverses

LES EXPULSIONS – DU MOYEN ÂGE À LA RÉVOLUTION

L'expulsion des juifs du Royaume de France se fit en plusieurs temps, à partir de 1294, sous plusieurs souverains. La plus radicale fut la dernière, celle de 1394, par un édit de Charles VI. Elle mettait fin à plus d'un millénaire de présence, et ceci pour plusieurs siècles. L'Alsace et la Franche Comté, terres d'Empire, et la Bourgogne, terre ducale, y échappèrent.

L'interdiction aux juifs de passer plus de trois jours à Besançon rappelle de façon moins cruelle la disposition strasbourgeoise de l'interdiction nocturne, marquée par la sonnerie vespérale du « cor de l'angoisse », le *grusenhorn*, à laquelle a succédé un carillon de la cathédrale. Elle atteste à la fois la présence de juifs à certains moments dans la grande ville et leur présence permanente dans les localités périphériques. À cette époque, les patronymes juifs ne se distinguaient en général pas de ceux du reste de la population.

Dans ces provinces ayant échappé à l'expulsion le statut des juifs resta, d'une certaine façon, celui de *dhimmis* jusqu'à la révolution. En terre d'Empire, les juifs étaient astreints, comme ceux des pays musulmans, à des taxes corporelles de survie : le *leibgeld* et le *leibzoll*[54]. Le *leibgeld* était une taxe d'habitation, le *leibzoll* un impôt de voyage.

Plus tard, en France, Louis XVI chargea M. de Malesherbes de régler le problème protestant, ce qu'il fit avec succès en 1786 ; chargé d'une mission parallèle à propos des juifs, il dut rapidement y renoncer devant la résistance absolue du pouvoir ecclésiastique. Il fallut donc attendre le vote de l'assemblée constituante, quatre ans plus tard, en 1791. Nous ne traiterons pas de l'organisation Napoléonienne de la vie religieuse et nationale des citoyens juifs, ni de ses faillites, comme l'affaire Dreyfus et la discrimination pétainiste.

Que faut-il retenir de ce bref survol de l'histoire des juifs de France qui a aussi été, avec peu de différences, celle des juifs

---

54. Poliakov Léon, *Histoire de l'antisémitisme*, Éd. Calmann-Lévy, Paris, 1981.

d'Europe ? D'abord l'isolement progressif de populations devenant étrangères dans leurs propres pays. Ensuite l'extrême précarité de ces sous-hommes, soumis à des pouvoirs locaux avant d'être livrés aux pouvoirs royaux de mieux en mieux assis au long de ces temps féodaux. La pression était permanente ; comme dans les pays musulmans, les juifs étaient souvent les « protégés » d'un seul potentat local : nobles locaux, villes libres, ecclésiastiques ne cessaient d'inventer de nouvelles taxes dans le cadre d'un chantage à l'expulsion. Alors que le concile de Latran avait privé les juifs de toute activité artisanale, les exigences financières de leurs maîtres se faisaient de plus en plus lourdes. Les juifs ont été poussés vers la fonction d'usurier, la seule à leur demeurer ouverte puisqu'elle était interdite, avec quelques exceptions, aux chrétiens. On n'a cessé de leur reprocher ce que la société féodale leur avait imposé.

L'expulsion la plus massive fut celle d'Espagne, en 1492. Mais elle avait eu des précédents, notamment en Angleterre en 1290, et en France, nous l'avons vu. Lorsqu'elle devenait effective, l'expulsion était cruelle : il fallait partir en famille sur des routes hostiles, sans savoir où aller. Quand toute une population est conduite à vendre en même temps ses biens, le plus souvent modestes, ils ne valent plus rien. Et la demande conjointe confère un prix énorme à la moindre carriole.

La sujétion à tant de pouvoirs oppressifs allait encore empirer par l'émergence de l'Inquisition. Les juifs ont appliqué l'une des prescriptions du juif Jésus : ils ont tendu et retendu la joue.

Il ne s'écoula pas beaucoup de temps entre la confusion constantinienne de l'État et de la religion et les premières manifestations répressives de fondement religieux : les persécutés apprirent vite à devenir persécuteurs. Il y avait un précédent : Dioclétien avait fait brûler les Manichéens. Et des juifs avaient été condamnés au bûcher par le pouvoir romain. La tradition talmudique a conservé le souvenir de R. Hanina b. Tradion, condamné au feu pour avoir continué à enseigner le judaïsme malgré une interdiction impériale. Ses bourreaux l'avaient enveloppé dans un rouleau de Torah. Ses élèves l'apostrophèrent alors que les flammes gagnaient son visage :

— Maître, que vois-tu ? Sa réponse fut : « Le parchemin brûle, mais les lettres s'envolent », Av. Zar. 18a.

D'empereur en empereur, de Gratien à Théodose et à leurs successeurs, le sort des juifs et des chrétiens hérétiques empira. Nous avons déjà rencontré l'éradication violente de l'Arianisme et du Nestorianisme. Certains Pères de l'Église, comme Augustin et Chrysostome, certains papes, comme Léon Ier en 447[55], se rallièrent aux châtiments les plus durs : il y eut bien collusion et confusion entre les deux pouvoirs. Nous renvoyons le lecteur à notre ouvrage sur l'intégrisme[56] pour une étude détaillée de l'Inquisition. Mais, l'évocation du pape Léon est l'occasion d'examiner à quel point l'institution vaticane a été ambiguë, pendant des siècles.

En effet l'institution des tribunaux inquisitoriaux ne pouvait plus dépendre seulement des institutions locales. L'empereur

---

55. Léa Henry Charles, *Histoire de l'Inquisition au Moyen-Âge*, Robert Laffont, Paris, 2005.
56. Déjà cité.

et le pape conclurent un accord, l'accord de Vérone, en 1148. Cet accord fit de l'Europe une Europe des bûchers ; son poids dans les consciences est illustré par la façon dont Calvin, pourtant champion d'une liberté nouvelle, s'y est inscrit un instant en brûlant Servet (1553)[57]. Or cet accord était d'une hypocrisie monumentale : c'était l'Église qui condamnait, après avoir largement usé de la torture et de l'emprisonnement prolongé dans des culs de basse-fosse ; mais elle prétendait avoir instruit les procès, à charge, « sans *duresse* aucune ». L'accusé n'avait aucune chance. Selon cette fiction juridique, les flammes terminales relevaient du pouvoir politique, avec la bénédiction de l'autel. L'Église s'est ainsi enfermée dans le mensonge pour des siècles. Nous entendons souvent nos frères chrétiens qualifier le premier Testament de texte excessivement sévère et le légalisme juif de formalisme étroit. Pourtant les impitoyables lois de l'Inquisition ne sont pas nées dans ce formalisme-là. Les chaumes et les forêts de toute une région ne suffiraient pas pour fournir à leurs légitimes récipiendaires leurs pailles et leurs poutres.

Dans son livre, « La destruction des juifs d'Europe », Shirer[58], a fait le parallèle entre les lois de l'Inquisition et les lois nazies de Nuremberg. Elles sont, à plusieurs siècles de distance, parfaitement superposables. Que le lecteur nous permette une cruelle juxtaposition :

> Heureux ceux qui pleurent, car ils seront consolés ! Heureux ceux qui sont doux, car ils hériteront la terre ! Heureux ceux qui ont faim et soif de la justice, car ils

---

57. Ce qui est un raccourci : l'affaire est complexe.
58. Shirer William, *The rise and fall of the third Reich*, Fawcett publ., Greenwich, Conn., 1963.

seront rassasiés ! Mt. 5:4-7 (le « sermon sur la montagne »).

Et :

> Le but de l'inquisition est la destruction de l'hérésie. Or l'hérésie ne peut être détruite sans que les hérétiques le soient ; les hérétiques ne peuvent être détruits sans que les défenseurs et fauteurs de l'hérésie le soient aussi, et cela peut s'opérer de deux manières : par leur conversion à la vraie foi catholique ou par incinération charnelle après abandon au bras séculier, Bernard Gui, inquisiteur à Toulouse au XIIIe siècle, texte trouvé dans ses archives par Lea (ouvrage cité).

Face aux exactions dont furent victimes les juifs à travers les siècles les voix de la miséricorde, comme celle de saint Martin de Tours, en 385, furent rares et peu entendues. L'évêque de Liège Wazon en 1048 a cité le prophète Ezéchiel (18:23) :

> Assez de bûchers... Ne tuons pas par le glaive séculier ceux que notre Créateur et notre Rédempteur veulent laisser vivre pour qu'ils s'arrachent aux entraves du démon. Ceux qui sont des hérétiques aujourd'hui peuvent se convertir demain...

Bernard de Clairvaux (1090-1153), le fondateur des Cisterciens, s'est élevé, lui aussi, contre l'emploi de la rigueur répressive contre les juifs et les hérétiques. Hélas ! Il y eut aussi Thomas d'Aquin (1224-1274) dont l'opinion, exprimée dans sa « Somme », est la suivante :

> L'hérésie est un péché par lequel on mérite non seulement d'être séparé de l'Église par excommunication, mais encore exclu du monde par la mort.

La théologie du *sarment* (qu'on brûle, Jn. 15 :5-6) a été plus forte que celle du *sermon* (sur la montagne).

Ces textes montrent combien la persécution chrétienne des hérétiques s'est installée tôt et durablement. Nous avions comparé la démarche du judaïsme à celle d'un homme aux jambes disparates. Cela a été pire pour le christianisme : il était doté de jambes de longueur très inégale : l'une représentait l'Amour universel ; et l'autre, une rigueur impitoyable à l'égard de ceux qui n'aimaient pas de la bonne manière. Avec de tels membres inférieurs, comment aurait-il pu éviter des chutes multiples dans l'escalier du malheur ?

Et pourtant, à la suite des massacres des croisades, en 1120, le pape Callixte II émit une bulle que nombre de ses successeurs reprirent, sans grand succès : la bulle « *sicut judaeis* » :

De même, *sicut*, qu'il ne doit pas être permis aux juifs d'oser, dans les synagogues, outrepasser ce qui est permis par la loi, de même ne doivent-ils souffrir aucun tort dans ce qui leur a été concédé. C'est pourquoi, même s'ils préfèrent demeurer dans leur raideur plutôt que de comprendre les paroles cachées des prophètes et reconnaître la foi chrétienne et le Salut, parce que néanmoins ils demandent Notre défense et aide, attachés à la bonté de la piété chrétienne de Nos prédécesseurs d'heureuse mémoire, les pontifes romains Calixte et Eugène, Nous acceptons leurs pétitions et leur accordons le bouclier de Notre protection. Nous décidons donc qu'aucun chrétien ne les force à venir au baptême contre leur gré et leur volonté.

La papauté a délégué ses pouvoirs répressifs aux Dominicains, avec quel succès ! Torquemada était dominicain. Une partie de ce pouvoir a été accordée aussi aux Franciscains. Leur fondateur, le doux François, l'ami des humbles et des animaux, à dû en perdre son repos céleste. Des papes ont protégé les juifs en Provence ; des papes ont lancé les croisés sur leur piste de sang. : on a, de la part du Vatican, tout vu et son contraire. De façon générale, la papauté a opté pour cette position : il fallait que persistent des juifs, mais des juifs humiliés. Ainsi le monde verrait-il ce que coûtait la résistance à la substitution. La papauté n'a donc pas encouragé les massacres de façon directe. Mais les prêches antijuifs se sont multipliés ; mais l'accusation de déicide s'est renforcée. Une atmosphère générale de mépris et de haine des juifs à encouragé les pogromes. Combien de juifs brûlés, en vertu d'une décision locale, pour avoir, soi-disant, semé la peste noire ou profané des hosties ?

L'Histoire n'est pas avare en retournements grimaçants ; le catholicisme a lui-même subi des persécutions cruelles : n'oublions pas ces hontes de la grande Révolution, dont notre République a tant de mal à se souvenir : la décapitation des prêtres non jureurs, les noyades criminelles de Nantes ; et le génocide Vendéen[59] ; ce qui nous conduit à aborder l'époque moderne – au cours de laquelle Staline a poursuivi l'œuvre de Robespierre.

VERS L'ÉPOQUE MODERNE

La collusion entre le pouvoir politique et le pouvoir religieux était admise, au point d'habiter de façon naturelle la conscience collective. l'Histoire moderne en apporte un témoignage : l'exigence de Napoléon d'un couronnement papal. Sa légitimité de

---

59. Les juifs ont été menacés eux aussi : Saint-Just voulait les faire bénéficier d'une « régénération guillotinière ». Lors de la terreur ils ont fui en masse l'Alsace, seul territoire où ils vivaient en nombre, vers la Suisse.

souverain était plus que discutable : il la rechercha là où elle paraissait être.

En réalité jamais les papes ne se sont vraiment opposés à la diabolisation des juifs, sujet maléfique de prêches innombrables. Si les choses ont changé depuis Vatican II, l'attitude des papes de l'époque moderne préconciliaire ne peut être oubliée : Pie X a déclaré à Théodore Herzl en 1904 : « *non possumus* » : nous ne pouvons empêcher les juifs d'aller à Jérusalem mais nous *ne pouvons, non possumus, les soutenir,* position qu'a reniée le Pape François en se rendant à Jérusalem sur la tombe du fondateur du Retour. En 1937 Pie XI a osé critiquer les nazis, notamment dans son encyclique « Mit brennende Sorge ». Et en 1938 il a eu le courage de quitter le Vatican pour Castelgandolfo lors de la visite de Hitler à Rome. Mais malgré son engagement contre l'antisémitisme il s'est cru obligé de rappeler le crime de « déicide ». Quant au silence de Pie XII… En 1941, Pétain a sollicité ce pontife pour obtenir son approbation du statut des juifs qu'il venait de promulguer. Pie XII[60] a osé accéder à cette demande en invoquant Thomas d'Aquin : « les Juifs sont condamnés à l'esclavage perpétuel ».

Le virage de l'autovictimisation
Les « menaces » des hérétiques sur l'intégrité de la Foi ont justifié les bûchers : il y a bien eu un processus de victimisation.

Les relations entre l'Église et l'État
Comme nous l'avons vu, elles ont lourdement pesé sur la dérive de l'Église vers un pouvoir oppressif dirigé contre ses hérétiques. Or elle avait été rejetée par Jésus.

---

60. Lacroix Anne, *Le Vatican, l'Europe et le Reich*, Armand Colin, Paris, 2010.

Altérité et désaltérisation : quelques réflexions complémentaires

Goebbels organisa une tournée de dignitaires nazis dans les ghettos polonais. Les Allemands avaient entassé d'immenses populations dans des espaces réduits : six cent mille personnes se coudoyaient dans le ghetto de Varsovie, là où auparavant vivaient cent mille habitants. Ils les privèrent de nourriture. L'hygiène de base leur était inaccessible. En peu de temps ils furent transformés en pouilleux faméliques. Leur spectacle renforça Goebbels dans son opinion : les juifs, ces pouilleux, étaient bien des sous-hommes.

Sur le front russe, les moujiks fuirent les assaillants sans une pomme de terre en poche. Après quelques jours d'errance dans le froid et la pluie leurs vêtements étaient en haillons. Ils avaient laissé leurs maigres possessions dans leurs isbas en flammes ; les soldats avaient volé le reste de leurs provisions. En quelques jours ils devinrent, eux aussi, des pouilleux faméliques. À leur vue, les soldats de la Wehrmacht écrivirent à leurs familles que les Russes étaient des misérables mal lavés. C'étaient bien les sous-hommes qu'on leur avaient décrits.

Au cours du siège de Leningrad, les soldats allemands installèrent debout des cadavres russes raidis, le bras tendu, par le terrible gel russe ; ils étaient devenus des poteaux indicateurs[61] : ce n'étaient plus des hommes et d'ailleurs *ils n'avaient pas été des hommes* : slaves, ils appartenaient à une race inférieure...

Poliakov[62] a rapporté les propos d'un capitaine de l'armée du Tsar chargé de rétablir l'ordre et la justice au moment

---

61. Bartov Omer, *L'armée d'Hitler*, Hachette, Paris, 1999.
62. Poliakov Léon, *Histoire de l'Antisémitisme*, deux volumes, Calmann-Lévy, Paris, 1981.

d'un de ces terribles pogromes[63] qui ont ensanglanté la Russie :

— Nous ne pouvons ordonner à nos soldats de tirer sur des chrétiens pour sauver des juifs : ils n'obéiront pas.

Pourquoi citer cette anecdote ? Parce qu'on y voit un militaire tiraillé entre sa culture humaniste et sa culture chrétienne, substituante et altérisante.

Voici où nous voulions en venir : dès que l'altérité devient *irréductible,* dès que s'amorce une *désaltérisation,* il n'y a plus ni liberté, ni égalité, ni fraternité. L'altérité dans l'égalité, l'altérité comme simple facette de la diversité humaine, ne réside pas dans la similitude des vêtements, ni dans celle de la couleur de la peau, ni dans celle des us et coutumes. Non, elle est dans la tête. Et toutes les propagandes, religieuses ou politiques, ont le pouvoir de l'effacer.

Les chrétiens et le christianisme. La Shoah

Je le sais, mes frères chrétiens, les lignes qui précèdent vous ont irrités. Le christianisme, me direz-vous, ce n'est pas cela. Non bien sûr ; le christianisme c'est la foi partagée, l'élan vers le ciel, l'attente de la résurrection, l'appropriation du corps du Christ par le sacrement de l'Eucharistie ; et la sainteté du monachisme, qui a tant fait pour préserver les manuscrits de la sagesse antique ; et aussi les actions de charité, qui ont, pendant des siècles, aidé, soigné et sauvé les plus pauvres.

Ces élans de charité sont allés pendant la guerre, jusqu'à l'héroïsme : deux mille prêtres résistants ont été assassinés à

---

63. En Ukraine, les pogromes perpétrés en 1648 par les cosaques sous la direction de leur chef Chmielniki, pendant leur soulèvement contre le gouvernement polonais, firent entre 50 000 et 100 000 victimes juives.

Dachau, nous ne l'oublions pas. Mais il est d'autre souvenirs encore, comme l'alliance d'une partie de l'Église croate avec le nazisme pendant la guerre; comme aussi les officines catholiques qui, à la fin du conflit, ont caché des criminels de guerre et souvent permis leur fuite; et encore la persistance d'un intégrisme catholique lefébriste farouchement opposé aux décisions du concile, par fidélité à la théologie de substitution la plus discriminante... Le christianisme, et notamment le catholicisme, c'est *aussi* la longue trace de sang que je me suis permis d'évoquer. Elle n'appartient pas à un réquisitoire; simplement à l'Histoire: un « *réquisistoire* ». Oui, mes frères chrétiens, avant de formuler contre ces lignes un sévère jugement, essayez de réaliser un instant ce que, dans sa terreur, une victime potentielle des hordes de croisés, ou encore un *marrane*, un juif espagnol caché, fidèle à ses pères, si constamment menacé, pouvait penser du christianisme, des chrétiens et de leurs prêtres...

Est-ce à dire que chaque chrétien doit, *individuellement*, se sentir coupable? Bien sûr que non. La plupart du temps, et pour la plupart, les chrétiens des paroisses sont restés en dehors de ces drames. Et certains ont été charitables. Mais l'Église, en tant que « peuple des chrétiens », devrait affronter sa culpabilité. S'est-elle réellement engagée dans le repentir, dans ce que dans le judaïsme on appelle la *techouvah*, de la racine hébraïque CHV? À notre avis, non.

Cette racine sémantique CHV est porteuse de plusieurs significations. Celle du retour d'abord; celle aussi de la pause: se poser, s'asseoir pour une introspection, un retour sur soi. C'est au prix de ce retour sur soi que s'opérera un autre retour : celui du péché vers l'innocence ; celui du conflit, extérieur et intérieur, vers la paix ; et celui de la séparation vers l'unité ; car l'âme humaine est partagée entre le penchant au bien et le penchant au mal, tout en aspirant à rétablir son homogénéité.

Pour nous, le catholicisme ne sera ni innocence, ni amour, ni paix, ni unité aussi longtemps qu'il n'aura pas introduit dans son année liturgique un jour de *techouvah*, comme l'est dans le judaïsme le jour de Kipour (qui signifie *pardon*). À Kipour, le fidèle énumère à la synagogue une litanie de péchés dont la plupart lui sont étrangers. C'est marquer son inclusion dans les errements de toute sa communauté. C'est reconnaître aussi que s'il n'a pas commis tel ou tel péché ce n'est pas nécessairement par vertu. C'est peut-être simplement qu'il n'en a pas eu l'occasion. Depuis des siècles le christianisme se voit comme une force du bien. Avec quelques exceptions il peine à réaliser que certains des siens, trompés par de fausses certitudes, en ont aussi fait une force du mal. C'est cela qui, à nos yeux, rendrait si opportune l'instauration d'une journée liturgique d'introspection. Car aujourd'hui, celui qui connaît l'Histoire et qui entend le catholicisme se présenter comme une religion d'amour n'est pas sans être envahi par un douloureux étonnement. Un étonnement qui se poursuit à la lecture d'ecclésiastiques comme le P. O.-T. Venard de l'École Biblique de Jérusalem : ce grand érudit exonère l'Église de toute responsabilité, les acteurs des massacres historiques ayant agi « non comme chrétiens, mais comme pécheurs… »[64].

---

64. *Le Figaro*, 24 octobre 2016, p. 18.

Nous avons bien sûr assisté à de précieuses manifestations de contrition chrétienne, mais en ordre dispersé, et sans véritable retentissement. Il y a eu la déclaration de repentance des évêques français de 1997[65] ; mais elle n'était la déclaration que d'une partie des évêques. En voici une autre, qui mérite d'être connue. Elle a été publiée récemment dans un petit livre édité sous les auspices des Amitiés judéo-chrétiennes ; il rassemble, sous le titre : « Juifs et chrétiens face à la Shoah », des articles parus dans la revue « Sens ». Ce texte fait partie d'une allocution prononcée en 1975 à Bergen-Belsen par le Père Pierre Dabosville :

> Un prêtre catholique se penchant au milieu de ses frères juifs et chrétiens sur de tels abîmes ne peut souhaiter que garder le silence et s'ouvrir du dedans pour un appel désespéré à la miséricorde de l'Éternel : *Desperate hope*. Mais puisqu'il faut parler il lui faut aussi confesser, quoi qu'il lui en coûte, si grand et sincère soit son amour pour les victimes, qu'il s'est découvert solidaire des bourreaux ; il ne lui suffit en effet pas de reconnaître, tout en la récusant, l'indifférence criminelle de tant de chrétiens, qui créait autour des juifs cet immense cercle de solitude par quoi ils étaient déjà désignés pour la mort. Il lui faut encore avouer que le poids de l'Histoire de son Église a pesé de façon déterminante sur le destin d'Israël. Notre mémoire osera-t-elle encore remonter le cours du temps… ?

Mais combien de chrétiens ont entendu ces mots ? Et combien liront ces lignes ?

---

65. Elle figure *in extenso* dans notre livre, *Chrétiens et juifs, juifs et chrétiens, l'inéluctable fraternité*, L'Harmattan, Paris, 2013.

Le concile a proclamé l'abandon de la théologie de la substitution. Cet objectif a été renforcé par une déclaration extraordinaire de Jean Paul II. Ce grand prélat a proclamé, au cours d'une rencontre inter-religieuse, à Assise, que « l'attente messianique des juifs était légitime ». Jean-Paul II a donc reconnu l'éventualité de *deux* modes d'attente eschatologique : la coexistence peut désormais remplacer la substitution. Ce jour-là, Jean-Paul II a dressé une nouvelle barrière sur le chemin de l'escalier du malheur. Il a donné la solidité de la pierre à des propositions ambiguës du Concile, où souvent le consensus a été difficile à obtenir[66]. Et voici que le pape François a déclaré qu'en tout chrétien il y avait un juif.

L'attitude de ces Pontifes est extraordinaire. Elle confirme un changement profond, positif, dans les relations christiano-juives. Oui, le catéchisme a été rénové ; mais qui va encore au catéchisme ? Oui, la liturgie et beaucoup de prêches, se sont amendés. Mais qui va encore à l'église ? Et même ! Il y a, hélas ! loin du Vatican à nos campagnes. Nos amis catholiques pratiquants nous rapportent que dans nombre d'églises rurales, notamment à Pâques, ni la substitution ni le déicide n'ont disparu des prêches. J'ai entendu moi-même un ecclésiastique de renom commenter la Passion avec les mots suivants, paraphrasant saint Augustin : « Et voici que les Grands prêtres se préparent à perpétrer leur crime de déicide »... Depuis l'impulsion initiale de la réunion de Seelisberg, en 1947, les Amitiés judéo-chrétiennes apportent leur contribution à la réconciliation. Mais cinquante ans ne suffisent pas pour effacer des

---

66. Dujardin Jean (P.) *L'Église et le peuple juif,* Calmann-Lévy, Paris, 2003. Dujardin Jean (P.) *Catholiques et juifs, cinquante ans après Vatican II, où en sommes-nous ?,* Éd. Albin Michel, Paris, 2012.

millénaires d'« Enseignement du mépris ». Et l'intégrisme est, nous le disions, tapi à la porte. Jean Paul II a indiqué une voie ; mais tous les catholiques ne l'ont encore pas parcourue.

La chute dans l'escalier du malheur s'opère, nous l'avons vu, selon trois axes essentiels : la substitution, le contenu des textes sacrés, et enfin la collusion du politique et du religieux.

Nous avons largement examiné le succès post-conciliaire de l'abandon de la substitution. Mais plus on va vers l'Est, moins l'écho du concile est audible, et plus demeure la pesanteur de cette théologie. La séparation de l'Église et de l'État n'est pas universelle. Dans bien des territoires où règne l'Église Orthodoxe, elle ne s'est pas complètement opérée.

Et puis un autre facteur d'inquiétude demeure : l'intangibilité des Évangiles. Or ces textes comportent, nous l'avons vu, de nombreux passages anti-juifs ; et la substitution en est, notamment dans Jean, l'un des axes spirituels essentiels.

Or les mots sont des armes. La Shoah n'est pas un accident de l'Histoire. C'était un événement programmé par la diabolisation millénaire de ses victimes et par des appels à la vengeance du déicide. À un moment de l'Histoire, à l'occasion d'une faille politique et morale, la généralisation du massacre était inéluctable. Cela s'est produit au XXe siècle. Mais sinon le drame serait survenu à un autre moment. Quelle qu'ait été l'humanité témoignée par des individus, on ne peut bander un arc théologique de plus en plus fort pendant des siècles et penser que jamais la flèche ne partira. À aucun moment le christianisme n'a été engagé dans la solution finale. Mais il a créé la culture qui l'a rendue possible.

La chute des religions dans le mal n'est pas le résultat d'un vertige passager. Elle est programmée par l'arrogance de la certitude et par la substitution conquérante érigée en principe absolu. C'est pourquoi, si le christianisme est sur la bonne voie, il a encore du chemin à faire. Les Sages du Talmud enseignent que oui, le Seigneur a parfois recours à des nations hostiles pour châtier Son peuple. Mais ils soulignent aussi que ces nations possèdent leur libre arbitre : elles ne sont pas *obligées* de persécuter. La théologie de la substitution est sans doute une épreuve envoyée par le Seigneur aux nations en quête d'une foi nouvelle. Hélas ! Leur tendance naturelle est de tomber dans le piège. Jacob et Esaü ont entamé leur rapprochement mais le touchant récit biblique de leur réconciliation (Gn. 33 :1-4) n'est pas encore entièrement accompli.

Et voici une dernière considération :

Celui qui a abordé l'histoire de l'Inquisition n'est-il pas en droit de formuler une question ? Des persécuteurs du Ve siècle aux derniers meurtres inquisitoriaux du XVIIIe, l'Église a certes existé, avec ses dogmes et ses institutions culturelles et sociales. Elle était catholique, c'est-à-dire universelle ; mais était-elle chrétienne ? Qu'aurait exprimé Jésus devant les flammes d'un bûcher ? Le Crucifié eut-il demandé qu'on le recharge ou qu'on l'éteigne ? Mes frères chrétiens, votre réponse sera sans doute celle de l'extinction. Mais attention ! ce sera reconnaître alors que pendant de longues périodes de son histoire le catholicisme a cessé d'être chrétien. En vérité, si Jésus avait eu l'imprudence d'organiser sa parousie au XVe siècle, sans doute ses attaches juives et sa fidélité à la Torah l'eussent-elles conduit dans les flammes, lui aussi, en une seconde Passion.

À nos yeux l'Église catholique n'est redevenue chrétienne, après des siècles et des siècles, qu'au Concile Vatican II. Et même… Nous osons insister : tant que le catholicisme n'aura pas institué un jour d'expiation pour ses crimes, il sera plus conduit par la certitude arrogante des « perroquets du Christ »[67], que par la contrition ; et plus il confirmera qu'il s'est longtemps déchristianisé. Mais que sommes-nous sinon, comme disait Abraham, poussière et cendre, *éfér ve afar*? Non pas un juge, mais un étudiant ; un analyste, un quêteur de compréhension : à chacun sa vérité – à condition qu'elle soit pacifique. Ainsi soit-il.

Mais serait-il juste de nous confiner, au nom de la vérité, dans la sévérité ? Encore une fois, non. Nous n'oublierons ni la charité, ni les soins, ni l'éducation assumés pendant des siècles par des institutions chrétiennes, schizophrènes il est vrai ; ni la préservation des textes anciens dans les monastères ; ni le succès du christianisme dans la diffusion de l'éthique juive ; nous nous souviendrons aussi de l'adoption chrétienne des Psaumes de David, malgré la pression des Marcionistes ; et nous accorderons une juste valeur à l'érection des croix, de tant de croix, dans les campagnes, sur les clochers et sur le sommet des montagnes : car au-delà de leur signification spécifique, chacune témoigne d'une foi dans l'au-delà. Peut-être l'élan céleste des bâtisseurs de cathédrales les a-t-il conduits à éviter l'escalier du malheur.

Finalement, c'est bien une terrible tension qui, dans le monde catholique, s'est parfois instaurée entre la proclamation d'un

---

67. Comme il existe des « perroquets de la Torah », répétiteurs et récitants sans réflexion.

amour universel et la couleur écarlate conférée à la glèbe ; mais cette tension n'est-elle pas le reflet d'un enracinement dans le judaïsme ? D'un enracinement longtemps rejeté, encore volontiers oublié, et donc mal maîtrisé ? Car selon la tradition juive le Tout Puissant gouverne Son monde en recherchant un équilibre entre Sa miséricorde et Sa rigueur, entre Son rarhamon et Son din. Il existe à ce propos un étonnant midrach ; méditons-le :

> R. Yohanan dit au nom de R Yossé : d'où savons-nous que Dieu prie ? De ce passage d'Isaïe (56 : 7) : « Je les amènerai sur Ma sainte montagne, et je les réjouirai dans Ma maison de prière ». Non pas leur maison, mais Ma maison ; d'où l'on déduit que Dieu prie. Et que prie-t-Il ? R. Zoutra enseigne au nom de Rav : « puisse Ma miséricorde subjuguer Mon courroux, afin de l'emporter sur Mon principe de réciprocité entre la faute et le châtiment, de façon à ce que Je me conduise envers mes enfants avec miséricorde et indulgence » (B. Ber. 7a).

Oui, mes frères les religieux : dans notre foi, n'oublions ni le questionnement ni l'indulgence. Sans eux, la rigueur risque d'étouffer la miséricorde ; dès lors l'amour trébuche avant de s'évanouir.

Chapitre IV
L'islam et l'escalier du malheur

La première marche : la théologie de la substitution, la certitude et l'appropriation de Dieu

Pourquoi avoir groupé en un seul thème ce qui, dans les chapitres précédents, relevait de plusieurs titres ? À cela il y a une raison : le libellé d'un verset du Coran ; celui-ci :

La religion de Dieu est l'islam, CRN[68] 3 :19.

Ces quelques mots effacent tout sentiment religieux préislamique : ils instituent de façon éclatante la substitution musulmane et coranique. Ils établissent sans contestation possible l'appropriation de Dieu par l'islam. Ils reproduisent l'égarement du christianisme substituant, tel que saint Jean l'avait formulé, lui aussi. Ainsi les deux religions, le christianisme et l'islam, si opposées par leur théologie et leur conception du monothéisme, se rejoignent-elles dans la négation de leurs prédécesseurs et le rejet de l'Autre, le mécréant.

Qu'on nous permette une observation : nous allons citer un certain nombre de versets coraniques[69]. Ce faisant, nous en ferons une lecture brute, littérale, première. Nous n'ignorons

---

68. CRN : Coran.
69. Toutes ces citations sont tirées de notre ouvrage : *Dictionnaire alphabétique des Sourates et versets du Coran*, L'Harmattan, Paris 2006. Il repose essentiellement sur deux traductions : celle de Kasimirski, déjà ancienne (1841) épaulée par celle d'André Chouraqui (1990).

pas le monde de l'exégèse coranique, notamment dans la sphère de l'islam soufi. Nous y consacrerons un instant de réflexion. Mais une partie des maux dont souffrent nos sociétés aujourd'hui est liée à l'extrême diffusion de ce mode de lecture. Il demeure le thème central de nombre d'écoles coraniques dans le monde, les *medersas* ou *madrasas*, dont les enseignants ne s'embarrassent guère d'exégèse et privilégient la mémorisation littérale. C'est ce Coran-là, c'est cette lecture-là dont se servent les imams intégristes, corporels ou numériques, pour séduire leurs victimes : pour un esprit frappé de confusion, l'offre associée d'une certitude et d'une supériorité peut sembler précieuse ; d'autant plus précieuse que les deux termes s'épaulent l'un l'autre : certitude de la supériorité et supériorité de la certitude. Ce sentiment de supériorité n'est pas sans conséquences sociales : bien, des fidèles des enseignements du Coran constatent que ni la société dans laquelle ils vivent, ni leur propre statut social, ne s'inscrivent dans une réelle supériorité ; il peut en résulter une frustration ; et cette frustration, lorsqu'elle est intense, peut se transformer en violence. Ces considérations psychologiques sont à confronter à des données statistiques : selon une étude récente de l'institut Montaigne[70] 28 % des musulmans de France d'âge adulte et 50 % des plus jeunes ont des opinions et des pratiques religieuses proches de celles des salafistes ; ce verset, « La religion de Dieu est l'islam » en fait partie. Enfin selon nos services de renseignements, il y aurait dans notre pays environ 15 000 « radicalisés » : des frustrés devenus des intégristes vengeurs par autovictimisation.

---

70. *JDD*, 18 septembre 2016.

Le Coran fait état des écrits préalables : les « Livres antérieurs », qui identifient les « Peuples du Livre ». Mais quand il s'en inspire, c'est en en modifiant la teneur. A-t-il, ce faisant, altéré quelque chose ? Mais non, pas lui : ce sont les juifs qui ont corrompu et tordu l'Écriture :

> Quelques-unes d'entre eux (les juifs) torturent les paroles des Écritures avec leurs langues pour vous faire croire que ce qu'ils disent s'y trouve réellement. Non ceci ne fait point partie des Écritures. Ils disent : « Cela vient de Dieu ». Non, cela ne vient pas de D... Ils prêtent sciemment des mensonges à Dieu, CRN 3 :78

> 4.
> N'avez-vous pas remarqué ceux qui ont reçu une portion des Écritures ? Ils vendent l'erreur et voudraient vous faire quitter le droit chemin... Ils embrouillent leurs paroles avec leurs langues, et calomnient la vraie religion, CRN 4. 44 ; 46.

> 5.
> Ils (les juifs) déplacent les paroles des Écritures et oublient une partie de ce qui leur fut enseigné. Tu ne cesseras de dévoiler leur fraude ; presque tous en sont coupables. CRN 5 :13.

L'une de ces torsions est frappante. Elle concerne Marie-Myriam, ou encore Maryam, mère de Jésus ; ce personnage biblique est objet d'une extraordinaire confusion anachronique :

> Elle alla dans sa famille, portant l'enfant dans ses bras. On lui dit : « Ô Marie, tu as fait une chose étrange. Ô *sœur d'Aaron*, ton père n'était pas un homme méprisable, ni

ta mère une femme suspecte. Marie leur fit signe d'interroger l'enfant, CRN 19 :27-28.

Faut-il rappeler au lecteur que la sœur de Moïse et d'Aaron, la prophétesse, s'appelait, elle aussi, Myriam-Marie (Ex. 15 :20-21) ? Voici Jésus devenu, par une confusion trans-générationnelle couvrant plusieurs millénaires, le neveu de Moïse ! S'il s'agit d'une erreur fortuite, elle est grossière ; mais si cette erreur est délibérée, elle relève du génie : en quelques mots allusifs, elle institue une impossible, mais fondamentale parenté ; de même que le christianisme, dans Mt. 1, installe Jésus dans une lignée abrahamique aboutissant à... Joseph. Dans le monde des mythes, ce rapprochement entre Marie et Moïse, à travers les millénaires, n'est pas plus incongru que le récit de la Transfiguration (Mt. 17 :1+) :

Son visage (celui de Jésus) resplendit comme le soleil, ses vêtements devinrent blancs comme la lumière, et voici que leur apparurent Moïse et Elie... (voir 2 et 3).

Revenons au Coran.

En procédant à son appropriation de Dieu, l'islam s'est aussi livré à une captation d'héritage : celle d'Abraham. Faut-il rappeler que dans la Bible hébraïque, Abraham, fils d'idolâtre, idolâtre lui-même dans sa jeunesse, a bénéficié de la révélation du monothéisme ? Dieu s'est directement adressé à lui et lui a enjoint de tout quitter : *Leikh lekha*, va t'en pour toi, ou vers toi (Gn. 12 :1+). Constamment élu pour un dialogue direct avec son Créateur, Abraham va bénéficier d'un miracle : un fils à l'âge de cent ans, un fils sans lequel le monothéisme judéo-chrétien se fût éteint avec le fondateur[71]. Ainsi va naître

---

71. Ismaël, fils d'Abraham et d'Agar, est né treize ans avant Isaac, le seconde patriarche, Gn. 16 :15.

la chaîne des patriarches dont les descendants, esclaves en Égypte, vont connaître la libération, la division de la Mer rouge et la dévolution de la Torah au Sinaï : Abraham n'était sans doute pas juif au sens moderne du terme, puisque ne peuvent être considérés comme tels que les récipiendaires de la Torah. Mais il a été le socle sur lequel judaïsme et christianisme se sont développés.

Pour le Coran, c'est très différent :

> Abraham n'était ni juif ni chrétien ; il était pieux et résigné à D., CRN 3 :67

Résigné, soumis : c'est pour l'islam la définition même du croyant. Donc, pour l'islam, Abraham était musulman… des siècles et des siècles avant l'avènement de l'islam et de son Prophète (622 de notre ère). L'islam procède ainsi à une double manipulation du temps : ce dernier ne commencera plus qu'avec le Prophète, dont le déplacement de La Mecque à Médine marquera le début du nouveau calendrier. Simultanément le temps antérieur, celui qui désormais doit être effacé, est approprié, avec le patriarche. Nous reviendrons sur les conséquences de ces étirements et compressions temporels, en notant une fois de plus l'impact de la substitution sur le comput du temps.

Abraham était-il vraiment soumis et résigné, et donc, selon l'islam, musulman ? Lorsque nous lisons la Bible, nous apprenons qu'Abraham était loin de l'être : comme nous l'avons déjà souligné, il osa, avec un courage insigne, tenter d'arracher à la sévérité divine les quelques Sodomites qui appartiendraient malgré tout au monde des justes :

Et Dieu dit : cacherai-Je à Abraham ce que Je vais faire ?
… Dieu dit : la clameur de Sodome et de Gomorrhe s'est amplifiée ; sa culpabilité s'est considérablement alourdie. Je descendrai donc et Je verrai : s'ils ont agi selon cette clameur venue jusqu'à moi, ce sera l'anéantissement ; et si ce n'est pas le cas, Je le saurai. Les hommes s'éloignèrent et cheminèrent vers Sodome – et Abraham se tenait encore devant le Seigneur. Abraham s'avança et dit : anéantirais-Tu en même temps le juste et le méchant ? Peut-être y a-t-il au sein de cette ville cinquante justes ? Les exterminerais-Tu aussi ? N'épargnerais-Tu pas l'endroit pour les cinquante justes ? Loin de Toi d'agir ainsi, de frapper le juste avec le méchant, loin de Toi ! Celui qui juge toute la terre, Tu ne ferais pas justice ? Le Seigneur dit :

— Si je trouve cinquante justes au sein de la ville J'épargnerai tout l'endroit pour eux.

Abraham répondit, disant : Voici, je me suis résolu à parler au Seigneur, moi qui ne suis que poussière et cendre. Peut-être manquera-t-il cinq justes… Gn. 18 :17 ; 18 :20-28.

Suit un émouvant plaidoyer par lequel le patriarche arrache au Seigneur une promesse de clémence – qui restera sans objet : il n'y a pas un seul juste à Sodome !

Entendons-nous bien : nous ne sommes nous aussi que poussière et cendre. Qui serions-nous pour oser *juger* une noble religion, l'islam ? Non, nous poursuivons simplement notre but, qui est de réaliser une analyse théologique des religions face à l'escalier du malheur. Et notre propos immédiat est de démontrer l'engagement résolu de l'islam dans la théologie de la substitution et la captation d'héritage.

Voici encore un verset le démontrant :

> Ô vous qui avez reçu les Écritures, pourquoi vous disputez-vous au sujet d'Abraham ? Le Pentateuque (Ch.[72] : la Torah) et l'Évangile n'ont été envoyés d'en haut que longtemps après lui. Ne le comprendrez-vous donc jamais ? Vous qui disputez des choses dont vous êtes instruits, pourquoi cherchez-vous à disputer sur celles dont vous n'avez aucune connaissance ? Dieu sait ; mais vous, vous ne savez pas. Abraham n'était ni juif ni chrétien ; il était pieux et résigné à D., et il n'associait pas d'autres êtres à Dieu. Ceux qui tiennent le plus à la croyance d'Abraham sont ceux qui le suivent. Tels sont le Prophète et les croyants. Dieu est le protecteur des fidèles, CRN 3 : 65-69.

La fossilisation du texte fondateur

Pour l'islam orthodoxe, le Coran, qualifié d'« incréé », conçu par Allah, a été communiqué au Prophète par le canal de l'Archange Gabriel (*Gibril*). Il aurait donc été, dès l'origine, un texte complet, définitif, d'origine divine et donc inaliénable. Mais pour certains exégètes musulmans, une partie au moins du Texte a été élaborée sous l'influence des événements immédiats : c'est ainsi que ses versets violemment anti-juifs refléteraient le conflit local surgi entre le Prophète et les tribus juives d'Arabie. Dès lors le Coran ne serait plus « incréé » mais « créé ». Il serait alors, tout en étant d'origine divine, moins inaliénable. C'est la façon dont le mouvement soufi

---

72. Ch. : traduction d'André Chouraqui.

aborde son Texte, de façon souple et constructive. Mais, dans un monde religieux où salafisme et wahabisme dominent intellectuellement, la majorité des musulmans considère son Texte sacré comme incréé : gravé dans le marbre.

L'Histoire reconnaît cependant au Coran une période d'élaboration : l'ange Gabriel a procédé à une transmission orale, en s'adressant à un prophète qui ne maîtrisait pas l'écriture : un processus de passage de la Parole à l'Écrit était donc inévitable. Tous les grands noms de la succession du prophète y ont participé, comme Omar et Abou-Bakr, puis Othman. En fait il fallut largement plus d'un siècle pour qu'un consensus s'établisse autour d'un texte qui dès lors devint LE Texte. Malheur, à partir de ce moment, à qui userait d'une version différente !

Ainsi, dans l'islam comme dans les autres religions monothéistes, c'est par paliers que s'est installé le mythe d'un Texte sacré définitif et complet dès son apparition. Le message transmis au prophète par l'ange Gabriel fait appel, de façon très large à la Bible, non sans en transformer la teneur, nous l'avons déjà mentionné.

« *La religion de Dieu est l'islam* »… Cette affirmation, qui engage résolument l'islam dans le processus de substitution, ne laisse aucune place au doute. Elle exprime une appropriation absolue de Dieu ; le paradigme d'un Coran incréé, pétrifié, inaliénable, s'y associe tout naturellement ; cela rend inévitable ce que nous avons appelé l'« usurpation identitaire » ou l'« usurpation du Nom » : puisque chaque mot du Coran incréé exprime la volonté divine, lire le Coran c'est connaître cette volonté. La réalisation des prescriptions coraniques, même les plus violentes (et nous en rencontrerons) s'inscrit dans cette volonté. C'est ce qu'Étienne Barillier[73] appelle : le « vertige de la force », issu de la conviction religieuse ; nous avons choisi de dénommer cette démarche : le « naufrage des religieux ».

L'« altérité irréductible »

En matière d'altérité deux domaines distincts se dessinent dans la culture coranique : l'altérité générale de tout humain n'ayant pas choisi d'obéir à la foi musulmane ; et, d'autre part, l'altérité fondamentale existant entre les sexes.

Nous prendrons en considération d'abord l'altérité féminine.

L'altérité féminine

Comme nous l'avons déjà signalé, Mme Éliane Amado-Valensi avait insisté, il y a longtemps déjà, sur l'importance de l'altérité féminine dans l'islam, qu'elle impacte largement au-delà de sa spécificité propre. Tous les intellectuels musulmans modernistes[74] partagent cette opinion. Pour certains d'entre eux l'aspiration à l'émancipation féminine aurait été l'un des moteurs des printemps arabes. C'est à notre sens une analyse optimiste de ces soulèvements.

Dans la culture coranique, la femme est un être inférieur. Voici, à cet égard, quelques références ; la première établit qu'en matière de témoignage juridique, il faut au moins deux femmes pour remplacer un homme. Les deux suivantes

---

73. Barillier Étienne, *Le vertige de la Force*, Buchet-Chastel, Paris, 2016.
74. Comme Abdenour Bidar, dans sa *Lettre ouverte au monde musulman* de 2015, largement citée par Étienne Barillier.

constatent la supériorité du mari sur son épouse et lui confèrent le droit de la battre si elle est récalcitrante :

> Appelez deux témoins parmi vous ; si vous ne trouvez pas deux hommes, appelez-en un seul et deux femmes parmi les personnes habiles à témoigner ; afin que si l'une oublie, l'autre puisse rappeler le fait. CRN 2 :282.

> Les femmes à l'égard de leurs maris, et ceux-ci à l'égard de leurs femmes, doivent se conduire honnêtement. Les maris sont supérieurs à leurs femmes (Ch. : les hommes sont un degré au-dessus d'elles). D. est puissant et sage. CRN 2 :228.

> Les hommes sont supérieurs aux femmes à cause des qualités par lesquelles Dieu a élevé ceux-là au-dessus de celles-ci, et parce que les hommes emploient leurs biens à doter les femmes. Les femmes vertueuses sont obéissantes et soumises ; elles conservent soigneusement pendant l'absence de leurs maris ce que Dieu a ordonné de conserver intact. Vous réprimanderez celles dont vous aurez à craindre la désobéissance ; vous les reléguerez dans des lits à part, vous les battrez ; mais aussitôt qu'elles vous obéissent, ne leur cherchez point querelle. Dieu est élevé et grand. CRN 4:34.

Les nouvelles qui nous parviennent des pays où est appliquée la loi islamique, la *chariah*, comme le Royaume d'Arabie, montrent que ces versets ont gardé toute leur actualité. N'oublions pas Malala, l'écolière pakistanaise victime d'une tentative d'assassinat parce qu'elle osait s'obstiner à vouloir étudier. Réfugiée en Angleterre, désormais à l'abri de l'obscurantisme religieux, Malala poursuit des études supérieures.

Le monde musulman admet la polygamie et l'esclavage sexuel des captives, dont Daech a largement usé :

> Si vous craignez d'être injustes envers les orphelins, n'épousez que peu de femmes, deux trois ou quatre parmi celles qui vous auront plu. Si vous craignez encore d'être injustes, n'en épousez qu'une seule ou une esclave. Cette conduite vous aidera plus facilement à être justes. CRN 4 :3.
>
> 70.
>
> L'homme a été créé impatient ; abattu quand le malheur le visite, orgueilleux quand la prospérité lui sourit… Ceux qui se maintiennent dans la chasteté et n'ont de commerce qu'avec leurs femmes et les esclaves (Ch. : les esclaves que maîtrise leur droite), qu'ils ont acquises, car alors ils n'encourent aucun blâme, et quiconque porte ses désirs au-delà est un transgresseur. CRN 70 :19-21 ; 29-31.

Une première épouse est cependant en droit d'exiger de rester la seule. En matière d'unions, le poids des cultures anciennes est souvent au moins égal aux dispositions coraniques. Ayaan Hirsi Ali rapporte que dans sa famille, ce sont les mères et les grands-mères qui transmettaient les règles de l'oppression féminine, excision comprise. C'est aussi pourquoi, selon des témoignages répétés, dans de nombreuses sociétés musulmanes, (et parfois même dans notre pays), le mariage forcé et le mariage des mineures sont considérés comme une norme : l'une des épouses du Prophète était fort jeune. Par ailleurs la virginité est honorée à la manière d'un culte, ce qui fait le bonheur des gynécologues spécialisés dans la réfection d'hymen[75].

---

75. Témoignage de Ayaan Hirsi Ali, ouvrage cité.

Dans ces sociétés nous assistons, sans pouvoir intervenir, à une compétition entre deux mouvements contraires : un élan vers la libération féminine et un assujettissement dont témoigne la prolifération des voiles intégraux.

Dans ces mêmes sociétés, dès lors qu'elle vit dans un milieu piétiste, la femme subit une ségrégation : elle est enfermée chez elle et ne peut sortir qu'accompagnée d'un mari, d'un père ou d'un frère. Nos équipes hospitalières sont journellement confrontées à ces problèmes. Nous n'aborderons pas le problème des contraintes vestimentaires.

L'homosexualité

Là encore le poids des cultures est parfois plus fort que les dispositions légales. Certaines sociétés musulmanes semblent avoir été à cet égard assez accommodantes. Les biographes d'un célèbre agent secret britannique qui multipliait les contacts avec des tribus arabes au début du XXᵉ siècle rapportent qu'il avait des contacts intimes avec des éphèbes bédouins ; mais Daech précipite les homosexuels du haut des étages, et d'autres sociétés musulmanes poursuivent et condamnent ceux qu'elles considèrent comme déviants. Le Coran parle peu de ces problèmes, sinon pour condamner, à l'instar de la Bible, les habitants de Sodome :

> Nous avons aussi envoyé Loth vers les siens. Il leur dit :
> « Commettrez-vous des turpitudes qu'aucun peuple n'a jamais commises avant vous ? Abuserez-vous des hommes au lieu de femmes pour assouvir vos appétits charnels ? En vérité, vous êtes un peuple livré aux excès ». Et quelle fut la réponse du peuple de Loth ? Ils se dirent les uns aux autres : « Chassez le de votre ville,

car sont des gens qui se piquent d'être chastes (Ch. : qui prétendent se purifier). CRN 7 :80-82.

Retenons que, de façon générale, l'islam traditionnel est sévère avec l'homosexualité, surtout masculine.

L'altérité animale

Le Coran fait état, en un verset, de la sollicitude du Créateur envers Ses créatures :

> Il n'y a point de créature sur la terre à laquelle D. ne se charge de fournir sa nourriture ; Il connaît son repaire et le lieu de sa mort ; tout cela est inscrit dans le Livre évident, 11 :6.

Mais, de façon générale, il présente le règne animal sous un aspect utilitaire :

> Il a créé sur la terre les bêtes de somme ; vous en tirez vos vêtements et de nombreux avantages ; vous vous en nourrissez. Vous y trouvez une belle part quand vous les ramenez le soir et quand vous les lâchez le matin pour le pâturage. Elles portent leurs fardeaux dans des pays ou vous ne les vendriez (Ma. : que vous n'atteindriez) qu'avec peine. Certes le Seigneur est plein de bonté et de miséricorde. Il vous a donné des chevaux, des mulets et des ânes pour vous servir de monture et d'appareil. Il crée ce dont vous ne vous doutez pas. 16 :5-8.

Et :

> Ne voient-ils pas que parmi les choses formées par Nos mains, Nous avons créé les animaux pour eux, et qu'ils en disposent en maîtres ? Nous les leur avons soumis ; ils en font des montures, et se nourrissent des autres. Ils

en tirent de nombreux avantages ; le lait des animaux leur sert de boisson. Ne Nous seront-ils pas reconnaissants ? 36 :71-73.

Le sacrifice de la fête de l'Aïd est resté une réalité. L'animal est sacrifié par égorgement, souvent en famille, ce qui n'est pas une école de traitement fraternel des animaux.

L'altérité religieuse
« La religion de Dieu est l'islam »...
Ce verset à d'autres implications encore. Tout croyant dont la foi diffère de celle des fidèles d'Allah est un mécréant : il n'est pas des *nôtres* : il est *autre*. Voici dessinée à l'encre indélébile une frontière qui annihile d'emblée tout sentiment d'égalité à l'extérieur du monde de l'islam. Le monde est divisé en deux : les musulmans et les non-musulmans. Ces derniers sont marqués d'une « Altérité irréductible » qu'aucun musulman n'oublie jamais, quelle que soit la perfection extérieure de son éducation. Cette frontière sépare deux mondes : le *dar el salam* et le *dar el harb* : le monde de la paix, celui qui est déjà musulman, et le monde de la guerre : la guerre religieuse de conquête des âmes.

Voici quelle sera la récompense de ceux qui combattent D. et son apôtre, et qui emploient toutes leurs forces à commettre des désordres sur la terre : vous les mettrez à mort ou vous leur ferez subir le supplice de la croix ; vous leur couperez les pieds et les mains alternés ; ils seront chassés du pays. L'ignominie les couvrira dans ce monde, et un châtiment cruel dans l'autre, sauf ceux qui se seront repentis avant que vous les ayez vaincus ; car sachez que D. est indulgent et miséricordieux. CRN 5 :33-34.

Et :

> Ne voient-ils pas que nous venons dans le pays (Ma[76]. :
> dans les pays infidèles) et que Nous en resserrons les
> limites de toutes parts ? Croient-ils donc être vain-
> queurs ? CRN 21 :44.

L'altérité irréductible est une attitude que nous avions déjà ren-
contrée à propos du christianisme médiéval. Les Autres sont
les « incrédules » ou « infidèles ». Leur place est dans la tombe
à l'exception des *dhimmis,* catégorie d'infidèles sur laquelle
nous reviendrons un peu plus loin. Lisons :

> Combattez dans la voie de Dieu contre ceux qui vous
> feront la guerre. mais ne commettez pas d'injustice en
> les attaquant les premiers, car Dieu n'aime pas les
> injustes. Tuez-les partout où vous les trouverez, et chas-
> sez-les d'où ils vous auront chassés. La tentation de
> l'idolâtrie est pire que le carnage de la guerre. Ne leur
> livrez pas de combat près de l'oratoire sacré, à moins
> qu'ils ne vous y attaquent. S'ils le font, tuez-les ; telle est
> la récompense des infidèles. S'ils mettent un terme à ce
> qu'ils font, certes Dieu est indulgent et miséricordieux.
> Combattez-les jusqu'à ce que vous n'ayez plus à crain-
> dre la tentation, et que tout culte soit celui du Dieu
> unique. S'ils mettent un terme à leurs actions, plus
> d'hostilité. Les hostilités ne sont dirigées que contre les
> impies. CRN 2 :190-193.

Et :

> Combats dans le sentier de Dieu et n'impose des charges
> difficiles qu'à toi-même. Excite les croyants au combat.

---

76. Ma : Traduction de Mme D. Masson, Éd. Gallimard.

Dieu est là pour arrêter la violence des infidèles. Il est plus fort qu'eux, et Ses châtiments sont terribles. CRN 4:84.

Faites la guerre à ceux qui ne croient point en Dieu ni au Jour dernier, qui ne regardent point comme défendu ce qu'ont défendu Dieu et son apôtre, et à ceux d'entre les hommes des Écritures qui ne professent pas la vraie religion. Faites-leur la guerre jusqu'à ce qu'ils payent leur tribut de leurs propres mains et qu'ils soient soumis. CRN 9:29.

L'islam se prétend souvent une « religion de paix ». Il oublie alors ces versets – et le conflit séculaire ouvert entre sunnites et chiites. Il oublie aussi le sort promis aux apostats, dont font partie, automatiquement, les musulmans qui se sont convertis à une autre religion, ou qui se sont engagés dans la voie de l'hérésie : c'est la mort, CRN 4:89. Il oublie surtout que l'islam est fondé sur le Coran, qui n'est pas un texte de paix universelle.

La législation coranique traitant du meurtre établit clairement un certain nombre de différences sociales, et aussi la frontière existant entre le croyant et le non-croyant :

O croyants ! La peine du talion vous est prescrite pour le meurtre. Un homme libre pour un homme libre, l'esclave pour l'esclave et une femme pour une femme. Celui qui obtiendra le pardon de son frère sera tenu de payer une certaine somme, et la peine sera prononcée contre lui avec humanité... Mais quiconque se rendra coupable encore une fois d'un crime pareil sera livré au châtiment douloureux. CRN 2:178.

Pourquoi un croyant tuerait-il un autre croyant, si ce n'est involontairement ? Celui qui tuera involontairement sera tenu d'affranchir un esclave croyant, et de payer à la famille du mort le prix du sang fixé par la loi, à moins qu'elle ne fasse convertir cette somme en aumône. Pour la mort d'un croyant d'une nation ennemie, on donnera la liberté à un esclave croyant. Pour la mort d'un individu d'une nation alliée, on affranchira un esclave croyant, et on payera la somme prescrite à la famille du mort. Celui qui ne trouvera pas d'esclave à racheter jeûnera deux mois de suite. Voilà les expiations établies par D. savant et sage. Celui qui tuera un croyant volontairement aura l'enfer pour récompense et il y demeurera éternellement. D. irrité contre lui le maudira et le condamnera à un supplice terrible. CRN 4:92-93.

Notons en passant que ces versets mentionnent comme allant de soi l'institutionnalisation de l'esclavage. Une autre remarque s'impose : le Coran a disséminé dans ses sourates ses principes éthiques. Mais, alors qu'il a fait tant d'emprunts à la Bible hébraïque, il a passé sous silence les Dix commandements. Et s'il mentionne les Psaumes[77], il ne les cite pas.

La dhimmitude et les dhimmis

Nous avions évoqué le statut des *dhimmis*. Sont désignés ainsi les non-musulmans habitant en terre d'islam. En tant que non croyants leur sort normal devrait être la mort. Mais ils

---

77. Nous t'avons donné la révélation, comme Nous l'avons donnée à Noé et aux prophètes qui ont vécu après lui. Nous l'avons donnée à Abraham, à Ismaël, à Isaac et à Jacob, aux douze tribus ; à Jésus, Job, Jonas, Aaron, Salomon ; *et Nous avons donné les Psaumes à David.* CRN 4:163.

peuvent acheter leur survie en payant une taxe spéciale au souverain. Dès lors ils sont protégés, mais leur condition est inférieure : ils ne peuvent ni posséder une arme, ni monter à cheval. Ils ne peuvent tester en justice. Souvent identifiés par une marque extérieure spéciale, ils doivent, dans la rue, s'effacer devant un vrai croyant ; dans certaines régions ils sont astreints à rester chez eux par temps de pluie : leur contact rendrait les gouttes impures.

Malheur à eux lors de la mort du souverain : jusqu'à un nouveau contrat avec son successeur, leur fragile statut s'effondre : cela a souvent été, dans l'Histoire, des moments de grande violence. Ce statut de dhimmi repose sur ces quelques mots :

> Faites-leur la guerre jusqu'à ce qu'ils payent leur tribut de leurs propres mains et qu'ils soient soumis. CRN 9 :29.

Bien entendu, nombreux sont les musulmans du monde qui n'ont jamais lu ces versets, ou qui les lisent et ne les appliquent pas. Nombreux sont les soufis qui y recherchent un sens allégorique. Dont acte. Mais toutes les religions inspirent leur culture ambiante ; dans l'islam cette culture n'est pas dénuée d'une violence que nous retrouverons en abordant la « désaltérisation ».

La valeur de la vie

D'autres élément théologiques participent à cette violence. Voici comment est décrite la création de l'homme dans la culture religieuse judéo-chrétienne : le Créateur dit :

> Faisons l'Homme à notre image et à notre ressemblance. Gn. 1 :27.

Il existe donc en tout homme une étincelle de majesté divine : l'homme n'est pas seulement un magma de molécules organisées en cellules. Cet abord « théomorphologique » de la création a été repris en partie par le Coran :

> Souviens-toi que D. dit aux anges : « Je crée l'homme de limon, d'argile moulée en formes. Lorsque Je l'aurai formé et que J'aurai soufflé en lui Mon esprit, prosternez-vous devant lui en l'adorant ». Et les anges se prosternèrent tous, excepté Iblis. 15 :28-43.

L'homme a donc directement bénéficié de l'Esprit saint. Mais par la suite le texte privilégie l'idée que Dieu est tout, tandis que l'homme n'est rien :

> Ô hommes ! Si vous doutez de la Résurrection, considérez que Nous vous avons créés de poussière, puis d'une goutte de sperme qui devint un grumeau de sang ; puis d'un morceau de chair, tantôt formé tantôt informe. CRN 22 :5.

Il en résulte, à nos yeux tout au moins, une attitude assez dépréciative à l'égard de la valeur de la vie humaine, qui explique sans doute bien des événements contemporains. On nous fera observer que le Coran contient un verset de défense solennelle de la vie humaine, un verset repris du Talmud :

> Pour cette raison l'homme a été créé seul (en exemplaire unique) : pour t'enseigner que quiconque détruit une seule vie, la Torah le lui impute comme s'il avait détruit un Monde entier ; et qui sauve une seule âme, la Tora lui accorde le même mérite que s'il avait sauvé tout l'Univers (Michna, B. Sanh. 37a).

Voici la transcription coranique de ce texte :

C'est pourquoi *Nous avons donné (après la mort de Caïn)*
ce précepte aux enfants d'Israël: « Celui qui aura tué un
homme sans qu'il ait commis de meurtre ou exercé des
brigandages dans le pays, sera regardé comme le meurtrier du genre humain; et celui qui aura rendu la vie à
un être humain sera regardé comme s'il avait rendu la
vie à tout le genre humain », CRN 5:32.

« *Aux enfants d'Israël* »: ce précepte a-t-il a été donné à *tous* les
croyants, ou seulement aux enfants d'Israël?

Dans la tradition judéo-chrétienne, le Juge suprême, se sentant
trahi par la perversité de ses créatures, a décidé de les supprimer par le déluge, Gn. 9:13. Seule la famille de Noé est
préservée. Mais la Bible nous dit que le Créateur en a éprouvé
des regrets, et qu'Il s'est déterminé à ne plus rendre des Juge-
ments aussi radicaux. Le Coran évoque quant à lui le sort de
multiples nations rebelles à la lumière spirituelle que tentent
de leur apporter leurs prophètes ou « avertisseurs ». Ces
nations refusent de découvrir la Foi. Un grand Fracas retentit,
et aucun survivant ne connaît le matin suivant:

Le Jour inévitable; qu'est-ce que le Jour inévitable? Qui
te fera comprendre ce qu'est le Jour inévitable? Thamoud et 'Ad traitèrent de mensonge ce retentissement
terrible (Ch.: la Fracassante). Thamoud a été détruit par
un cri terrible. 'Ad a été détruit par un ouragan rugis-
sant, impétueux. Dieu le fit souffler contre eux pendant
sept nuits et huit jours successifs. Tu aurais vu alors ce
peuple renversé par terre comme des tronçons de pal-
mier creux en dedans. Tu n'aurais pas trouvé un seul
homme resté sain et sauf. CRN 69:1-8.

Ces sanctions définitives, collectives, multiples, contribuent au concept de l'insignifiance de l'homme : encore une fois, Dieu est tout et l'homme n'est rien.

La diabolisation

Satan, Shaïtan, Iblis[78], Thagout... sous des noms divers Satan, l'ange rebelle devenu puissance du mal, est très présent dans le Coran :

> Les croyants combattent dans le sentier de D. et les infidèles dans le chemin de Thagout. Combattez donc les suppôts de Satan, et certes les stratagèmes de Satan seront impuissants. CRN 4 :72.

> Ô croyants ! ne suivez pas les traces de Satan ; car celui qui suit ses traces, Satan lui commande le déshonneur et le crime ; et sans la grâce inépuisable de D. et sa miséricorde, nul d'entre vous ne serait jamais innocent ; mais D. rend innocent celui qu'Il veut : Il entend et voit tout. CRN 24 :21.

> Satan est votre ennemi ; regardez-le comme votre ennemi. Il appelle ses alliés au feu de l'enfer. CRN 35 :6.

> N'ai-Je point stipulé avec vous, ô enfants d'Adam, de ne point servir Satan ? Il est votre ennemi déclaré. Adorez-Moi, c'est le sentier droit. Il a séduit une grande portion d'entre vous. Ne l'avez-vous pas compris ? CRN 36 :60-62.

Celui qui s'écarte de la voie de Vérité, c'est-à-dire de l'islam, marche sur les traces de Satan. Tous ces infidèles, ailleurs

---

78. Ce nom d'Iblis est sans doute dérivé de « diabolus ».

stigmatisés par des noms d'animaux, sont donc la proie d'une diabolisation et sont frappés d'une irréductible, d'une infamante aliénation. Ce que nous avons écrit à propos de la diabolisation dans le christianisme peut s'appliquer à l'islam.

L'altérité dans l'au-delà

L'islam a repris de ses prédécesseurs le paradigme de la géhenne, *Jahannam* en arabe. Tous les pécheurs y sont promis, et d'abord les infidèles. C'est une géhenne terrible. D'abord elle est éternelle, sans possibilité de rédemption et de pardon. Certaines de ses dispositions punitives sont sadiques : la peau des suppliciés va repousser pour brûler à nouveau. Lisons quelques versets infernaux (mais pas tous) :

> Ceux qui dévorent iniquement l'héritage des orphelins se nourrissent d'un feu qui consumera leurs entrailles. CRN 4 :10.

> Ceux qui refuseront de croire à Nos signes, Nous les approcherons du Feu ardent. Aussitôt que leur peau sera brûlée, Nous les revêtirons d'une autre, pour leur faire éprouver un supplice cruel (Ch. : qu'ils dégustent le supplice). D. est puissant et sage. CRN 4 :56.

> La géhenne sera leur lit, et au-dessus d'eux les couvertures du Feu. C'est ainsi que Nous récompensons les impies. 7 :41.

Restons donc dans le droit chemin ; mieux encore : gagnons le paradis par le martyre.

Éclairages complémentaires

Le premier sera arithmétique : du monde de la « religion de Dieu » retirons d'abord les femmes ; puis les dhimmis et les esclaves ; puis les infidèles. Que reste-t-il ? Peu de monde pour installer le paradigme, qui nous est si cher, de l'universalité des droits de l'humain – universalité qui, de toute façon, ne s'inscrit pas dans l'islam. À partir du premier verset cité : « La religion de Dieu est l'islam », notre revue de la culture coranique montre bien qu'elle installe l'Autre, le non-musulman, l'infidèle, dans une altérité irréductible.

La tradition judéo-chrétienne a installé dans sa culture l'esprit d'égalité :

Tu aimeras ton prochain comme toi-même, Lév. 19 :18.

« Il n'y a plus ni juifs, ni grecs ni esclaves » (Gal. 3 :28).

Il est vrai que saint Paul n'a pas été suivi, ou si peu : le catholicisme triomphant a limité cette égalité au peuple des catholiques dogmatiquement fidèles. Ni les chrétiens réformés, ni les juifs, ni les Aztèques n'ont bénéficié de cet enseignement égalitaire.

Poursuivons sous un deuxième éclairage.

Le judaïsme a établi, nous l'avons vu, le questionnement et le doute en mode de pensée. Au cours de l'âge d'or andalou, les philosophes musulmans ont adopté eux aussi cette attitude intellectuelle ; cela explique sans doute leurs réussites scientifiques : il n'y a pas de recherche scientifique, il n'y a pas d'avancée technique sans doute et sans questionnement. La diffusion du salafisme et du wahabisme a paralysé pour des siècles l'esprit musulman – comme l'avait fait le dogmatisme chrétien médiéval.

147

Le comput islamique du temps

Revenons à la manipulation du temps ; elle renforce en effet le retentissement de ce verset initialement cité : « La religion de Dieu est l'islam » : en islamisant Abraham toutes les religions non islamiques sont rendues rétroactivement illégitimes. Il devient impératif d'en effacer le souvenir, fût-il inscrit dans la pierre depuis des millénaires. Le négationnisme historique de l'islam, si actif aujourd'hui, notamment à Jérusalem, s'enracine dans ces deux paradigmes : la « religion de Dieu » et l'islamisation du patriarche. C'est pourquoi l'islam radical a détruit les Bouddhas sculptés et les Temples de Palmyre. C'est pourquoi, avec la complicité de l'Unesco[79], il déjudaïse les vestiges des Temples de Salomon et d'Hérode et les tombeaux des patriarches. Oui, pour l'islam, Jésus a existé, c'est même un très grand Prophète ; nous reviendrons sur son statut coranique. Mais, non sans quelques arguments politiques associés, il n'y a jamais eu de présence juive antique à Jérusalem. Le Mur occidental, encore appelé Mur des Lamentations, est un élément architectural de soutènement de la Mosquée El Aqsa ; nous avons entendu nous-même le Grand Mufti de Jérusalem l'affirmer à un journaliste, bien avant ce vote récent de l'Unesco. L'esplanade des Mosquées n'a jamais été l'Esplanade du Temple juif antique, ce Temple où Jésus a laissé des souvenirs illustres.

L'hérésie et les hérétiques

Voici ce que dit un verset :

> Ceux qui ne croient pas en D. et à Ses apôtres, ceux
> qui veulent séparer D. de Ses apôtres, qui disent :

---

79. 18 avril 2016.

« Nous croyons aux uns, mais nous ne croyons pas aux autres (ils cherchent à prendre un terme moyen) », ceux-là sont véritablement infidèles. Nous avons préparé pour les infidèles un supplice ignominieux. CRN 4 :150-151.

L'hérétique encourt donc son châtiment dans l'au-delà. Mais dans les nations où la loi est la loi coranique, la charia, la frontière entre l'hérésie et le blasphème, et entre le blasphème et l'apostasie semblent bien fragiles, or l'apostasie est punie de mort :

(Les hypocrites) aimeraient vous voir mécréants, comme ils ont mal cru : alors vous seriez tous égaux ! Ne prenez donc pas d'alliés parmi eux, jusqu'à ce qu'ils émigrent dans le sentier de Dieu. Mais s'ils tournent le dos, saisissez-les alors, et tuez-les où que vous les trouviez ; et ne prenez parmi eux ni allié ni secoureur, CRN 4 :89.

Le blasphème est une offense majeure dans l'islam ; nos médias rapportent souvent les lourdes condamnations qu'elle entraîne dans les pays ou règne la loi islamique : la décapitation, la pendaison, souvent publiques, y punissent les blasphèmes jugés les plus graves. Malheur à vous, par exemple, si vous êtes accusé d'avoir détérioré un volume du Coran. Voici à cet égard le témoignage de Mme Ayaan Hirsi Ali, qui a été élevée en Éthiopie, dans une société musulmane observante, mais non radicalisée : « Lorsqu'on est né musulman et qu'on pose des questions sur l'islam dans une perspective critique, on est aussitôt condamné comme apostat »[80].

---

80. *Insoumise*, p. 10 ; Éd Robert Laffont, Paris, 2005.

La « désaltérisation »

L'enfermement de l'Autre dans une altérité totale amorce inévitablement le processus de désaltérisation : la perte du statut d'Autre, différent mais *égal* parce qu'humain.

Battre sa femme, exécuter l'apostat font partie de la désaltérisation. Mais elle ne s'arrête pas là.

L'islam et les juifs

Nous avons vu plus haut les qualificatifs dégradants utilisés par les Pères de l'Église (cf. p. 88-89) pour situer les juifs dans le monde des animaux les plus méprisés. Ce procédé est aussi largement utilisé par le Coran :

> Dis à ceux qui ont reçu l'Écriture : « Pourquoi nous fuyez-vous avec horreur ? Est-ce parce que nous croyons en D., à ce qui nous a été donné d'en haut et à ce qui nous a été envoyé antérieurement, et que la plupart d'entre vous sont des impies » ? Dis-leur encore : « Vous annoncerai-je en outre quelque chose de plus terrible relativement à la rétribution que D. leur réserve ? Ceux que D. a maudits, ceux contre lesquels Il est courroucé, qu'Il a transformés en singes et en porcs (Ch. : ceux qu'Allah exècre et châtie, Il fait d'eux des singes et des porcs), ceux qui adorent Thagout, ceux-là sont dans une situation plus déplorable et plus éloignée du sentier droit, CRN 5 :59-60.

> Lorsqu'ils franchirent ce qu'on leur avait défendu de franchir Nous leur dîmes : « Soyez changés en singes (Ch : des singes abjects), repoussés de la communauté des hommes ». CRN 7 :160.

Quand récemment le président de l'autorité palestinienne a écrit à propos des juifs « qu'ils souillaient de leurs *pieds sales* l'esplanade des mosquées » il a participé au même processus ; s'il avait simplement parlé des « pieds » des juifs, son discours eût pu passer pour politique. L'expression « *pieds sales* » déclasse leurs possesseurs, rend leur altérité anthropologique et s'inscrit dans la désaltérisation. Il est très révélateur que ce soit un laïc qui ait proféré cette expression.

Aux épithètes animaliers du Coran s'en ajoutent bien d'autres, au moins méprisants, qui contribuent à dégrader l'altérité conférée aux juifs :

> Les mains de D. sont liées, disent les juifs. Que leurs mains soient liées à leur cou ; qu'ils soient maudits pour prix de leurs blasphèmes. Loin de là : les mains de Dieu sont ouvertes ; Il distribue Ses dons comme Il veut, et le don que Dieu t'a fait descendre d'en haut ne fera qu'accroître leur révolte et leur infidélité. Mais nous avons jeté au milieu deux l'inimitié et la haine, qui durera jusqu'au Jour de la résurrection ; toutes les fois qu'ils allumeront le feu de la guerre, Dieu l'éteindra. CRN 5 :64.

> Ô vous qui avez reçu les Écritures, pourquoi revêtez-vous la vérité de la robe du mensonge ? Pourquoi la cachez-vous, vous qui la connaissez ? Une partie de ceux qui ont reçu les Écritures ont dit : « Croyez au Livre envoyé aux croyants le matin, et rejetez leur croyance le soir ; de cette manière ils abandonneront leur religion », CRN 3 :70-72.

> Quelques-unes d'entre eux (les juifs) torturent les paroles des Écritures avec leur langue pour vous faire

croire que ce qu'ils disent s'y trouve réellement. Non ceci ne fait point partie des Écritures. Ils disent : « Cela vient de Dieu ». Non, cela ne vient pas de Dieu. Ils prêtent sciemment des mensonges à Dieu, CRN 3 :78.

Ils déplacent les paroles des Écritures et oublient une partie de ce qui leur fut enseigné. Tu ne cesseras de dévoiler leur fraude ; presque tous en sont coupables. Mais sois indulgent avec eux, car D. aime ceux qui agissent noblement, CRN 5 :13.

Il nous faut encore citer une parole du Prophète, une *hadith* ; ces *hadith* sont très respectées dans le monde musulman. Celle qui suit l'est tellement qu'elle a été intégrée de façon complète dans la charte du Hamas, qui est la charte des Frères musulmans (Article 7). La voici :

Le Prophète, qu'Allah le bénisse, a dit : « Le Jour du Jugement dernier ne viendra pas avant que les musulmans ne combattent les juifs. Quand les juifs se cacheront derrière les rochers et les arbres, les rochers et les arbres diront, O Musulmans, O Abdallah, il y a un juif derrière moi, viens le tuer ».

Cette hadith illustre de façon éclatante le principe de la « désaltérisation ». Elle fait craindre l'éventualité d'une nouvelle Shoah.

Ce thésaurus n'est pas épuisé. Mais nous nous arrêterons là. Tous les musulmans n'ont pas lu le Coran. Certains, qui l'ont disent l'avoir lu, nous en avons rencontré, contestent la présence de ces « versets terribles ». Mais, comme nous l'avons déjà remarqué, dans une culture, les textes sacrés sont présents par osmose : les remarques des érudits, les homélies des imams, les propos rapportés dans les relations sociales, sans oublier l'« imam google » et les autres médias, contribuent à diffuser dans le patrimoine intellectuel de tous des versets que tous ne consultent pas. Pierre-André Taguieff[81] et Gilles-William Goldnagel[82] ont établi un inventaire de ce discours hostile aux juifs, notamment en analysant des médias arabo-musulmans ; cet inventaire suscite l'effroi. Il en résulte, à l'égard des juifs, dans tout le monde de l'islam, une haine et un mépris qui expliquent bien des violences commises dans nos sociétés occidentales ; quand trois « jeunes des banlieues » attirent dans un guet-apens un serrurier simplement parce que son nom possède (pour eux) une consonance juive, cela signifie que l'emprise de cette gangrène s'est largement étendue[83]. Cette haine et ce mépris ne sont pas étrangers aux douloureux épisodes du conflit arabo- et palestino-israëlien.

Le Coran et les Chrétiens

Le Coran use de propos plus policés à l'égard des chrétiens ; il n'en est pas moins vecteur de haine et de mépris : en divinisant Jésus les chrétiens ont commis le blasphème d'« association » : ils ont associé un dieu à Dieu[84].

Ils disent : « Dieu a des enfants (Ma.[85], Ch. : un fils) ».

Loin de Lui ce blasphème ! Tout ce qui est dans les

---

81. Taguieff Pierre-André, *La nouvelle judéophobie*, Arthème Fayard (Mille et une Nuits), Paris, 2002.
Taguieff Pierre-André, *La Judéophobie des modernes*, Odile Jacob, Paris, 2008.
82. Goldnagel Gilles-William, *Le nouveau bréviaire de la haine*, Éd. Ramsay, Paris, 2001.
83. En avril 2016.
84. Paradigme rejeté aussi par le judaïsme.
Ma. : traduction de Mme Masson (Éd. Gallimard). Ch. : traduction de Chouraqui, comme nous l'avons déjà indiqué.

cieux et sur la terre Lui appartient, et tout Lui obéit.
CRN 2:116.

Ô vous qui avez reçu les Écritures, ne dépassez pas les
limites dans votre religion, ne dites pas de Dieu ce qui
n'est pas vrai. Le Messie, Jésus fils de Marie, est l'apôtre de D. et son Verbe qu'il jeta dans Marie : il est un
esprit venant de D... Croyez donc en D. et Ses apôtres,
et ne dites point : il y a Trinité. Cessez de le faire. Ce sera
pour vous plus avantageux. Car D. est unique. Loin de
Sa gloire qu'il ait eu un fils. À Lui appartient tout ce qui
est dans les cieux et sur la terre. Son patronage suffit ; il
n'y a pas besoin d'un agent. CRN 4:171.

La véritable position de l'islam à l'égard du christianisme est
exprimée dans le verset qui suit :

Mais ils (les juifs) violaient leur pacte, ils niaient les
signes de Dieu, ils mettaient à mort injustement les prophètes, ils disaient : « Nos cœurs sont enveloppés ». Oui,
Dieu a mis le sceau sur leur cœur. Ils sont infidèles ; il
n'y en a qu'un petit nombre qui croient. Ils n'ont point
cru ; ils ont inventé contre Marie un mensonge atroce.
Ils disent : « Nous avons mis à mort le Messie, Jésus, fils
de Marie, l'apôtre de Dieu ». Non, ils ne l'ont point tué,
ils ne l'ont point crucifié. Un autre individu qui lui res-
semblait lui fut substitué, et ceux qui disputaient à son
sujet ont été eux-mêmes dans le doute. Ils n'en avaient
pas de connaissance précise, ce n'était qu'une supposi-
tion. Ils ne l'ont pas tué réellement. Dieu l'a élevé à lui,
et Dieu est puissant et sage. Il n'y aura pas un seul

homme parmi ceux qui ont eu foi dans les Écritures qui ne croie en lui avant sa mort. Au Jour de la résurrection, il témoignera contre eux. CRN 4:156-159.

La crucifixion est donc une imposture; il n'y a pas eu de passion du Christ. Tout ce qui relève du christianisme est un immense mensonge – évidemment fomenté par les juifs, menteurs par essence. Dès lors comment s'étonner de l'interdiction des cultes chrétiens dans tant de pays musulmans? Et de la persécution des chrétiens d'Orient? Et de l'incendie de leurs églises? Et du génocide des Arméniens? Et de la montée de l'antisémitisme, ici même, dans nos banlieues?

En vérité, en matière d'islam piétiste, il est artificiel de séparer juifs et chrétiens. Les deux entités sont une: ce sont les *croisés américano-sionistes*.

Cependant, en terre d'islam, l'institution de la dhimmitude, aussi intolérable qu'elle ait été du point de vue des droits de l'homme, a été un bouclier assez efficace contre la violence. Notons qu'une certaine dhimmitude a aussi été la condition des juifs en terre chrétienne. Nous avons évoqué plus haut les taxes que représentaient le *leibgeld* et le *leibzoll*. La dhimmitude persiste dans certains pays d'islam. Le système des castes hindoues y est apparenté.

Revenons en terre d'islam. Nous avons indiqué l'occurrence, fréquente, de violences locales à l'occasion du décès des souverains qui avaient concédé leur protection à leurs dhimmis. Les pogromes anti-juifs du Maroc, incluant des autodafés, sont bien connus grâce aux travaux de David Bensoussan de

Montréal, qui s'est intéressé à l'Histoire de son pays d'origine[86]. La conquête musulmane de l'Afrique du Nord, terre romaine et terre chrétienne, au cours des VIIe et VIIIe siècles s'est déroulée comme toutes les conquêtes : de façon brutale et intolérante. Mais les conversions à l'islam n'ont pas toujours été des conversions forcées, l'épée sur la gorge. Elles ont souvent été le résultat des pressions sociales : un choix entre le statut médiocre de dhimmi et la liberté relative des sujets du souverain. Une conversion douce, par l'exemple, parfois facilitée par l'islamisation de dirigeants locaux, a été observée dans une partie du monde musulman, comme en Indonésie à partir du XIe siècle... Elle a été portée par des marchands, sans l'appui d'un pouvoir politique. À l'inverse, là où le pouvoir et la foi étaient alliés, l'Histoire a retenu de terribles massacres : plusieurs milliers de victimes juives à Grenade en 1066, ou encore à Fez[87] en 1465, sans oublier les événements de Damas au milieu du XIXe siècle...

Aujourd'hui les populations et les gouvernements musulmans du Moyen-Orient ont tendance à oublier l'antériorité des présences juive et chrétienne dans leurs nations. Beaucoup ont fini par considérer leur composante chrétienne comme une population étrangère, parasite, Cela a abouti, en Turquie, au génocide des Arméniens, que nous venions d'évoquer. Pourtant, à ses débuts, la puissance ottomane avait été très accueillante à l'égard des chrétiens et des juifs. Ces derniers ont été acceptés en nombre après leur expulsion d'Espagne.

---

86. Bensoussan David, *Il était une fois le Maroc – Témoignages du passé judéo-marocain*, Éditions Du Lys, Montréal, 2010 et édition internet *Iuniverse* 2012.
87. Documentation Musée national de la Résistance et de la Déportation, Besançon.

Leurs aptitudes d'artisans avait été appréciées, notamment leurs capacités dans la fabrication des canons.

L'époque moderne a vu l'adhésion du Grand mufti de Jérusalem aux actions les plus sanglantes de Hitler[88] et l'expulsion de 900 000 juifs des pays du Mahgreb à partir de 1948. Et bien sûr la persécution active des chrétiens d'Orient : en quelques années tant de chrétiens arabes ont fui le Liban et les Territoires palestiniens que leur nombre s'est réduit de moitié. Les méfaits de actuels de l'« État islamique » sont, hélas ! connus. Quant aux attentats…

L'attitude du Grand mufti Amin Hussein, qui passa la guerre à Berlin, ne relève pas d'une simple inclination individuelle ; elle relève d'un courant de pensée initié bien avant la guerre par son association avec le fondateur des Frères musulmans, Al Bannah. La collusion de ce courant avec les opinions nazies, fondée sur un rejet commun de la démocratie et une haine profonde des juifs a été démontrée par Kunzel[89]. Elle explique l'accueil de tant de criminels nazis par des pays arabes, comme l'Égypte et la Syrie, après la guerre. Le mufti, ce personnage sulfureux qui avait apporté son concours au projet nazi d'extension de la « solution finale » aux pays du Maghreb et du Moyen-Orient, échappa à la justice grâce à la protection de la France. Alors qu'il était réfugié dans notre pays, l'État refusa son extradition, demandée par le Royaume-Uni, et lui permit de gagner l'Égypte, où il termina sa vie.

---

88. Tandis que le Sultan du Maroc accordait sa protection aux juifs de son pays malgré les pressions nazies.
89. Küntzel Matthias, *Jihad et haine des juifs*, Éd. L'œuvre, Paris, 2009. On trouvera une étude détaillée de la convergence entre certains courants musulmans et le nazisme dans notre livre : *L'intégrisme, le comprendre pour mieux le combattre*, Éd. L'Harmattan, Paris, 2012, Prix Caroubi 2013.

Le virage de l'autovictimisation. Les versets « terribles »

« *La religion de D. est l'islam* » : tout ce qui est prescrit dans le Coran est donc l'expression de la volonté divine. La certitude du croyant est d'abord celle de la supériorité de sa Foi ; il en tire pour lui-même une essence supérieure. Toute opposition, dans toute nation, dans toute société, dans toute culture, à une prescription coranique est donc mécréance et désobéissance à Dieu Lui-même. Toute résistance à une ordonnance coranique est l'expression d'une rébellion contre le règne de la Vérité. Les peuples devraient s'ouvrir à la vraie lumière, à celle de l'islam. Ils refusent ce privilège et s'entêtent à professer des croyances qui n'ont plus cours ; pire, qui ont perdu toute légitimité. Il existe bien dans le Coran ce verset :

> Pas de contrainte en religion. CRN 2 :256

Mais qui, dans le monde de l'islam, s'en souvient, à part les soufis et quelques érudits ? Les manifestations de la vraie Foi dérangent les mécréants ? Si nous prions dans les rues, si nous préparons des sacrifices ailleurs que dans des abattoirs, si nous traitons nos femmes à notre manière, si nous contestons l'enseignement de l'Évolution ou de la Shoah, c'est bien parce que Dieu le veut. Les mécréants osent braver des prescriptions divines ? Ce sont donc eux qui nous attaquent : qui sont les victimes ? Nous, les soldats de Dieu ; nous ne faisons que défendre Sa volonté et Son règne ; entendez bien : nous n'attaquons pas, nous nous défendons.

Ainsi fonctionne l'esprit des islamistes et autres salafistes. Les massacrés du Bataclan, et tous les autres, et ils commencent à être nombreux, n'avaient qu'à se convertir pour obéir au Coran, aussi violent soit-il. Peut-être, (peut-être) eussent-ils été épargnés. Notons au passage que les assassins très catholiques de la Saint-Barthélémy raisonnaient exactement de la même façon. Et que les polichinelles barbus de certaines sectes juives hyper-piétistes, qui lancent des pierres sur les automobilistes du *chabat* ne manquent pas d'affinités avec ces extrémistes, aussi marginales soient-elles.

Nous venons d'évoquer les salafistes et les islamistes. Existe-t-il des frontières entre ces entités ? et entre ces entités et des musulmans modérés ? Et où ces frontières se dessinent-elles ? Ce problème sort de notre propos, qui est essentiellement théologique, et qui se focalise sur la chute dans l'escalier du malheur. Nous avons cité plus haut quelques données statistiques. Il convient aussi de prendre en considération les mises en garde lancées par de courageuses personnalités musulmanes engagées dans la laïcité ; elles permettent de penser que ces frontières sont indécises et poreuses. Car il faut lire Mmes Jeannette Bougrab, Ayaan Hirsi Ali[90], ou encore l'extraordinaire Malala[91], la jeune écolière rebelle Pakistanaise ; sans oublier Boualam Sansal, Mohamed Sifaoui, Malek Chebel[92], ou encore Mohamed Louizi dont l'impressionnant témoignage[93] fait écho au livre très documenté de Philippe de Villiers[94].

Dans notre « Dictionnaire alphabétique des sourates et versets du Coran » les versets dits « terribles » occupent un

---

90. Ayaan Hirsi Ali, *Insoumise*, Flammarion, Paris, 2005.
91. Yousafzai Malala, *I am Malala*, Little, Brown and company, New York, 2013.
92. Sansal Boualem, *Gouverner au nom d'Allah*, Gallimard, Paris, 2013 ; Chebel Malek, *Manifeste pour un islam des lumières*, Éd. Pluriel, Paris, 2011.
93. Louizi Mohamed, *Pourquoi j'ai quitté les Frères Musulmans*, Éd. Michalon, Paris, 2016.
94. *Les cloches sonneront-elles encore demain ?* Ouvrage cité.

nombre respectable de pages. Dans l'idéal, il faudrait savoir comment chaque mosquée les enseigne ou ne les enseigne pas : car le rejet de la violence ne peut s'exprimer seulement dans des paroles lénifiantes d'adhésion au paradigme de la paix universelle ; il réclame des prises de positions nettes face à ces enseignements et à ces prescriptions coraniques. Or personne n'ose réclamer ces éclaircissements : puisque le Coran a été déclaré parfait par ses fidèles, il est tabou. Or c'est bien lui qu'invoquent les tueurs de masse, et dont s'inspirent les « imams google » qui convertissent à la violence les « loups solitaires ». Tout dépend de la définition du mot « parfait » : la perfection inclut-elle ou non la violence ? La paix de nos sociétés exige que ce malentendu soit levé, dans la franchise et le respect du sacré. Osons demander à nos frères musulmans, (s'ils veulent des frères), quelle lecture ils font de leur Texte dans chacune de leurs obédiences.

La glorification de la mort

Dans le judaïsme comme dans le christianisme le martyr accepte de mourir pour sa foi ; mais il ne tue pas. Ste Blandine s'est résignée au supplice, aux supplices ; elle a été victime, mais elle n'a pas été meurtrière. Il y a là un abîme éthique entre l'islam radical et les autres religions monothéistes.

Peut-on l'expliquer ?

Il y a bien sûr le paradigme de la récompense paradisiaque. Judaïsme et christianisme ont opté pour une vie éternelle dépouillée de ses composantes terrestres, après une vie humaine encouragée à s'engager le moins possible dans les excès d'ici-bas. L'islam a créé un paradis où soixante-dix vierges, ou femmes pures, et même des éphèbes attendent le juste (CRN 2 :25, 3 :15, 4 :57, 37 :41-49, etc.) ; et qui est plus juste qu'un martyr ? C'est une cause incontournable, même si ce n'est pas la seule, des suicides en attentat. Les autopsies des coupables, quand elles sont possibles, montrent souvent des tentatives de protection du membre viril : il ne faudrait pas qu'il fût endommagé au mauvais moment !

Mais ce n'est pas la seule cause de cette aspiration à la mort en martyr : le Coran reproche aux juifs leur amour de la vie, qu'ils ont mission de défendre à tout prix, et exalte le désir de la mort pour se rapprocher de Dieu :

> Dis-leur (aux juifs) : « S'il est vrai qu'un séjour éternel séparé du reste des mortels vous soit réservé chez Dieu, osez désirer la mort, si vous êtes sincères ». Mais non, ils ne la demanderont jamais, à cause des œuvres de leurs mains, et Dieu connaît les pervers. Tu les trouveras plus avides de vivre que tous les autres hommes, les idolâtres mêmes ; tel d'entre eux désire vivre mille ans ; mais ce long âge ne saurait l'arracher au supplice qui les attend, parce que Dieu voit leurs actions. CRN 2 :94-96.

C'est là l'une des différences fondamentales entre l'islam et les autres religions monothéistes ; elles estiment que défendre la vie, don de Dieu, s'inscrit dans la sainteté, et non la mort volontaire : elles interdisent le suicide.

Les relations entre le pouvoir politique et la Foi

Là où la charia, la loi islamique, est en vigueur, cette séparation n'existe pas. C'est l'origine des condamnations pénales pour des faits religieux qui nous choquent, nous occidentaux. Le délit de blasphème est sévèrement puni par la *charia*. Cette sévérité a fait l'objet d'une tentative d'exportation en France. C'est parce qu'ils étaient considérés par l'islam comme des blasphémateurs que les journalistes de *Charlie Hebdo* ont été assassinés. Cet assassinat a été souvent approuvé par la composante musulmane de la population française : beaucoup d'enseignants ont fait face, quand ils ont voulu rendre hommage aux victimes, au refus de leurs élèves de participer à une minute de silence.

Cette tradition de confusion entre le religieux et le politique est la raison pour laquelle les citoyens musulmans des États de droit occidentaux ont parfois du mal à respecter cette séparation ; elle est pourtant le socle de nos démocraties. Nous avons le souvenir de l'expérience qu'avait rapporté une juge : elle avait eu affaire à un prévenu de confession musulmane. Ce dernier était poursuivi pour avoir tenté de tuer sa fille, qui voulait épouser un non-musulman, dans le cadre d'un « crime d'honneur ». La magistrate lui fit remarquer qu'en matière d'honneur il n'était lui-même pas un exemple : elle l'avait déjà rencontré à propos d'une affaire de trafic de drogue. La réponse du prévenu fut sans ambiguïté : « Madame, moi je n'avais fait qu'enfreindre *vos* lois. Mais ma fille a enfreint *les nôtres* ».

Première conclusion sur l'islam

« *La religion de Dieu est l'islam* ». Nous l'avions pressenti : tout l'enchaînement de l'escalier du malheur est contenu dans ce verset : il est prégnant et de certitude et de supériorité. Al Qaeda et Daech nous ont démontré et nous démontrent sans cesse la réalité de ce portique ouvert vers la chute.

L'islam est une religion de paix... peut-être, pourrait-il le devenir ; mais alors au prix de quelles transformations, qu'aucun organisme responsable n'a encore indiqué vouloir entreprendre. Dans un article paru dans *Le Figaro*[95], le chroniqueur politique Renaud Girard révèle avoir demandé à M. Erdogan si des transformations pouvaient être espérées dans l'islam. La réponse fut simple : *aucune transformation n'était nécessaire*. Il se trouve qu'il y a une quinzaine d'années nous avons eu l'occasion de poser une question similaire à M. Boubakeur[96], recteur de la grande mosquée de Paris ; à l'époque il était le président du Conseil français du culte musulman : pouvait-on espérer dans l'islam, et dans quel délai, un événement comparable au concile Vatican II ? Nous n'eûmes pas de réponse : cet éminent responsable répondit à côté, avec application. Alors, où est la frontière entre l'islam radical et l'islam de paix ? Y en a-t-il une en dehors des vœux pieux qui souvent sont des écrans de fumée ? Qui peut répondre ?

Les autres lectures du Coran. Le soufisme
N'oublions cependant pas les musulmans selon lequel le Coran est au moins en partie « créé » ; c'est-à-dire que son élaboration n'a pas échappé au poids de l'Histoire : si le Prophète a eu des paroles méprisantes à l'égard des juifs, ce n'est pas parce que l'ange Gabriel les lui a dictées, c'est parce qu'il a été en conflit, bien terrestre, avec des tribus juives de son voisinage. Le *jihad* est un combat ; certes. Mais cela peut être un combat interne, personnel, entre le bon et le mauvais penchant de son être propre.

Il y a donc là des éléments d'interprétation susceptibles de retirer du texte une partie au moins de sa sévérité et son

---

95. 17 mai 2016.
96. Il était de passage à Besançon et la mairie avait organisé une matinée d'échanges inter-religieux.

caractère impérialiste. L'altérité professée par cet islam-là n'est pas irréductible : cette interprétation plus souple, dotée d'une capacité d'adaptation, permet une insertion plus tolérante de l'islam dans les autres sociétés. Elle est aux antipodes des interprétations rigoristes des jihadistes. Elle est, au moins en partie, professée par la très renommée université Al Ahzar du Caire. Elle appartient d'abord au mouvement *soufi*, l'aile mystique de l'islam.

Le soufisme repose sur l'amour de Dieu, la sagesse et l'intériorisation – mais aussi sur une dévotion mystique reposant sur la conviction de relations étroites entre le monde céleste et notre monde d'ici-bas. L'approche du divin va donc emprunter aussi des voies ésotériques, à l'instar de la Cabbale. Dans cette approche, qui associe la prière, la méditation et l'extase, le croyant va privilégier tout ce qui est spirituel, noble et élevé ; il va donc rejeter ou négliger l'approche littérale des versets coraniques lorsqu'ils relèvent trop des œuvres terrestres : le soufisme lit le Texte, bien sûr, mais il cherche à le comprendre au-delà de sa lecture littérale ; il insiste sur son interprétation, ses interprétations. Tout en faisant du Coran l'ossature même de leur foi, les soufis n'en retiennent pas la violence.

Voici quelques exemples d'enseignements de sages soufis, empruntés à l'ouvrage d'Eric Geoffroy[97] :

> Œuvre pour ce bas-monde comme si tu devais vivre toujours, et Œuvre pour l'au-delà comme si tu devais mourir demain, Abd Allah ibn Umar[98].

---

97. Geoffroy Eric, *Le Soufisme, Histoire, fondements, pratique*, Éd. Eyrolles, Paris, 2013 et 2015.
98. Neveu du calife Omar, contemporain du Prophète.

Agis en sorte que tu sois une miséricorde pour les autres, même si Dieu a fait de toi une épreuve pour toi-même, Junayd[99].

Le soufisme consiste en ce qu'Il te fasse mourir à toi-même et te fasse revivre en Lui, Junayd.

Et encore :

Je suis devenu Celui que j'aime, et Celui que j'aime est devenu moi !

Nous sommes deux esprits fondus en un seul corps : Aussi me voir, c'est Le voir, et Le voir, c'est nous voir.

Dans un monde ébranlé par le salafisme, le wahabisme, et le jihadisme, l'islam soufiste, aussi minoritaire qu'il soit, représente une petite lucarne vers l'espérance. Malala appartient à une famille soufiste. C'est un radical sunnite, qui l'a visée de son arme à bout portant, alors qu'elle n'était qu'une enfant anxieuse d'acquérir une éducation. Pour ce religieux, la gloire de Dieu était compromise par un tel projet : Dieu le considérait comme illégitime, parce que cette élève était de sexe féminin. Dieu, qui lui avait donné la vie demandait qu'on lui donne la mort. Il y a peu, en début de ramadan, deux salafistes ont tabassé une serveuse de bar parce qu'elle apportait de l'alcool à un client, sans en consommer elle-même. Ils savaient que c'était la volonté de Dieu[100]. Où cette police religieuse a-t-elle sévi ? Dans une contrée exotique ? Dans une culture étrangère lointaine ? Mais non, dans le Marseillistan.

---

99. Humaniste soufi mort en 911.
100. *Le Figaro*, 10 juin 2016. Très peu de médias ont rapporté ce fait, pourtant éminemment signifiant.

Dans cette lucarne d'espérance du soufisme s'inscrivent les écrits d'un érudit bordelais, l'imam Tareq Oubrou[101]. Pour beaucoup de passages sévères du Coran, pour de nombreux versets brutaux, à propos de prescriptions violentes, il offre une explication apaisée, une version pacifique, une interprétation modérée. D'une spiritualité parfois étrange et étrangère il tente de faire un corpus parfaitement compatible avec notre culture occidentale, aussi bien laïque que religieuse ; cette lecture est encourageante, mais elle suscite une question : cette personnalité n'est pas isolée, bien sûr ; mais ce courant islamo-angéliste, d'inspiration soufie, réussira-t-il à s'imposer face à un salafisme, expression d'une lecture brute du Coran, en pleine progression ? Tolérant par nature, le tentera-t-il même ? Le soufisme est-il prêt à abandonner cette conviction coranique, que la religion de Dieu est l'islam ? Une majorité moins silencieuse, prête à promouvoir un islam de tendance laïque, semble prête à s'engager face à la barbarie jihadiste. Sachons l'encourager. Car l'amalgame premier, l'Amalgame avec un grand A, c'est celui qu'ont élaboré les musulmans eux-mêmes : celui qui lie leur spiritualité aux versets les plus brutaux de leur Texte fondateur, qui n'est pas seulement un texte religieux : il est aussi porteur d'un projet géopolitique. Et rien n'avancera sans que ce problème ne soit abordé, de front – enfin.

Notons enfin que, pour éviter cet Amalgame, une voie pourrait s'offrir aux fidèles du Coran : faire passer au second plan

---

101. Oubrou Tareq, *Ce que vous ne savez pas sur l'islam*, Fayard, Paris 2016. Certains pourtant, comme Philippe de Villiers, dans son livre : *Les cloches sonneront elles encore demain* évoquent une proximité de M. Oubrou avec les Frères musulmans.

les versets révélés à Médine ; car c'est en eux que la spiritualité s'efface derrière la rigueur.

Chapitre V
Conclusion générale

Oui, cher lecteur, les pages qui précèdent sont, pour la plupart, désolantes : elles rapportent la chute, fréquente, commune, banale, d'êtres épris de spiritualité et d'élévation ; en recherche permanente de sainteté, ils sont certains de cheminer dans la voie la plus parfaite ; et voici que ce cheminement les conduit dans le mal absolu : le meurtre, et parfois le meurtre de masse, commis au nom de Dieu. Comment cette chute dans l'escalier du malheur est-elle possible ? Comment une ascension vers le ciel se transforme-t-elle en plongée dans l'abîme ? Considérons à nouveau ce processus, pour déterminer s'il peut être contré.

Mais auparavant jetons un regard sur le monde : de nombreux groupes peuvent se distinguer parmi les humains. Notre propos en considérera trois essentiellement. Le premier, le plus nombreux, associe tous ceux que le souci de leur survie empêche de penser en profondeur. Le second rassemble les initiateurs : chercheurs, concepteurs, créateurs, réalisateurs de l'imaginaire, démiurges capables de comprendre et de transformer les choses, ils nous entraînent en avant. Ils jettent les bases d'un futur évolutif. Mais à force de ne régenter que le monde matériel, ils y papillonnent et s'attachent à l'immédiat. Ils perdent leur assise et ne savent plus où se poser, où *nous* poser. Enfin il y a ceux qui ont une telle angoisse de l'avenir qu'ils sacralisent le passé, aussi mythique qu'il soit.

Ces salafistes de tout bord finissent pas se fossiliser et à ressembler à ceux que Jésus traitait de « sépulcres blanchis », Mt. 23:27. Leur idéal est de fossiliser avec eux l'humanité entière. Sommes-nous condamnés à n'être que des papillons ou des ossements ? Il doit exister, il existe une autre voie ; c'est celle qu'a préconisée dans son œuvre R. Loew, le créateur du Golem, le Maharal de Prague[102] : la *voie médiane,* qui s'offre au croyant raisonnable – et qui reflète, en fait, un vieux concept talmudique : celui du fonctionnement harmonieux de la création grâce à un subtil équilibre entre la rigueur et la miséricorde divines.

Un diagnostic

Nous avons parcouru ensemble les étapes de la chute, que nous avons comparée à un « *escalier du malheur* ». Sa première marche est inscrite dans la foi même : c'est la *certitude absolue* ; presque instantanément elle devient certitude arrogante, persuadée de représenter, une fois pour toutes, pour *tous les hommes* et *tous les temps,* l'ultime et unique vérité. Dès lors cette certitude arrogante se transforme en sentiment de supériorité. Elle entend se *substituer* aux croyances, à la foi, à la vérité qui habitaient auparavant l'esprit des croyants. Cette *théologie de la substitution* est le moteur de la chute. Elle aboutit à « l'appropriation de Dieu » : seul est désormais légitime le nouveau mode religieux, *substituant et substitué,* pour approcher, implorer ou louanger Dieu.

---

102. Maharal de Prague, *Netsivot olam, les sentiers de l'univers,* Mesorah publ. lim., New York, 1994.

La substitution confère à celui qui la vit l'illusion d'avoir acquis un droit, qui pour certains devient obligation : celui d'*imposer* aux autres cette vérité nouvelle, pour leur bien. La certitude devient, aux yeux de celui qu'elle habite, un généreux instrument du salut, envers et contre tout, envers et contre tous. La substitution crée une frontière entre « les *nôtres et les autres* », les bons et les mauvais : elle crée un nouveau mode d'altérité, une altérité tranchante, l'*altérité irréductible*.

Cette analyse conduit à constater que la chute dans l'escalier du malheur n'est pas fortuite ; ce n'est pas une dérive ; elle est *inscrite*, avec logique, dans la foi absolue.

Mais pour cela il lui faut des instruments :

Une certitude, un Texte sacré, une collusion politique
Le premier de ces instruments est un texte sacré figé, fossilisé, érigé en dépositaire éternel de la Vérité. Chacune des trois religions possède le sien. Les plus récents ont été, l'un après l'autre, chargés d'une *mission substituante* : à partir de leur apparition, eux seuls ou presque pouvaient être lus, médités, appliqués dans chacun des mondes substitutifs. Et hélas ! ces Textes possèdent des passages qui érigent en règle le mépris et la haine de l'Autre, ce celui qui prétend professer une autre vérité. Cette primauté d'un Texte et d'un seul repose sur le paradigme de sa perfection ; car le Texte est réputé être issu, par des canaux divers, de la Parole divine. Rédigés, écrits, ils sont présentés comme authentiques et définitifs dès la première seconde, dès l'apparition de la première lettre. Nous avons appris, au contraire, que chacun de ces Textes est

composite ; et que chacun d'entre eux a été élaboré par étapes : leur cohérence apparente est construite. Leur fossilisation immédiate, qui rendrait solide leur contenu comme le froid polaire fige en en un instant tout élément liquide, est une illusion. Pour qui cherche la vérité, cette connaissance est l'un des moyens d'ébranler la certitude maléfique.

Maléfique d'abord parce que la fossilisation du texte entraîne la fossilisation des esprits ; cette idée, selon laquelle la fossilisation du texte est originelle, est la source de deux paradigmes déviants et dangereux :

D'abord l'idée que grâce au Texte le croyant peut connaître la volonté divine. Ensuite celle que la fidélité à ce texte lui impose d'être le vecteur de cette volonté supposée : « *Dieu le veut* » ! C'est ce que nous avons appelé l'usurpation identitaire ou *l'usurpation du Nom.* Dès lors l'humain, malgré sa fragilité, s'estime investi d'une mission divine au nom de laquelle il en vient à se croire tout permis. Il lui est interdit de tuer, mais le massacre va devenir pour lui l'instrument de la sainteté et de la vérité, celles qu'il conçoit à partir de la lecture de son Texte. La marche ultime de l'escalier est le paradigme du *changement de peuple* : puisque le peuple n'adopte pas la vraie Vérité, supprimons-le pour lui substituer un autre peuple ! Parce que des siècles plus tôt, voire des millénaires, s'est produite une fossilisation scripturaire, des populations entières, comme aujourd'hui les Yézidis, dont personne n'avait entendu parler lors de la révélation initiale, sont éradiquées pour la plus grande gloire de Dieu. La fossilisation d'un texte révélé est donc bien l'une des marches les plus dangereuses de l'escalier du malheur.

Encore faut-il, pour une telle entreprise, que cet humain fragile dispose d'une certaine puissance ; elle repose essentiellement sur une collusion entre le pouvoir religieux et le pouvoir politique, entre l'Église et l'État, ou ce qui en tient lieu en tel endroit et à tel moment.

Les massacres sont loin d'être une illusion. Mais croire connaître la volonté divine, l'accaparer et agir en son nom en est une.

Après le diagnostic, la thérapeutique : une bataille idéologique
Saisir des armes pour neutraliser, de façon immédiate, les assassins, est plus que légitime : nécessaire. Mais à terme, et dans un horizon élargi, la contre-violence ne peut réussir à elle seule. Le naufrage des religieux est un naufrage d'idées. Seules des idées sont à même de l'éviter.

Quelles idées ?
Nous en avons passé quelques unes en revue ; consultons à nouveau l'Histoire. Pour ce faire, adressons-nous à nos trois monothéismes ; mais pour constater d'abord leur morcellement : il n'y a pas *un* judaïsme, mais tout un éventail de groupes et de mouvements se réclamant de lui : des *achkenazim* et des *sephardim*[103] ; des hyperpiétises sionistes et des hyperpiétistes antisionistes ; et toutes sortes de sectes de *Hassidim*[104], le tout formant une mosaïque de mouvements divers, depuis les

---

103. *Aschkenazim* : les juifs d'Europe occidentale *et centrale, de culture yiddisch* ; *Sephardim* : ceux du bassin méditerranéen, et notamment du Maghreb. En hébreu, *Aschkenaz* désigne l'Allemagne et *Sepharad* l'Espagne.
104. *Hassid* : pieux ; les *hassidim* composent un mouvement piétiste créé au XVIIe siècle en Europe centrale ; ses cellules se structurent autour de dynasties de rabbins, à l'origine issues de bourgades d'Europe centrale, comme les *Hassidim* de Loubavitch.

orthodoxes « dorbistes »[105] jusqu'aux conservateurs plus ou moins modérés, depuis les traditionalistes « *massorti* »[106], plutôt libéraux, jusqu'aux libéraux non traditionalistes[107]. Il n'y a pas *un* christianisme, mais un morcellement de religions et de sectes, inscrites dans le catholicisme, les églises uniates, les églises syriaques, le monophysisme, l'orthodoxie russe, l'orthodoxie grecque, et les autres (il en existe quatorze); et bien sûr les multiples églises protestantes, calvinistes, luthériennes, baptistes, mennonites, adventistes, et toutes celles que nous oublions... Quant à l'islam, son unité n'est qu'une apparence, ne serait-ce qu'en raison de l'existence du sunnisme et du chiisme, du salafisme, du wahabisme et du soufisme, sans compter les écoles juridiques et les individualisations identitaires géographiques... Malgré toutes ces catégorisations, de grandes obédiences demeurent.

LE JUDAÏSME

Le judaïsme, nous l'avons vu, a su éviter deux des toboggans de la chute : il n'a pas été substitutif, et a renoncé à s'imposer aux autres, en adoptant une attitude de témoignage plutôt que de conquête. Et il a séparé, dès les origines, le pouvoir politique et le pouvoir religieux. Mais surtout il a évité l'écueil, pourtant bien présent, dur et figé, de la fossilisation de son Texte. Pour ce faire il a bâti, en quelques siècles, un deuxième Texte, *re-formateur*, le Talmud ou loi orale : ce texte

---

105. Rappelons que nous dénommons ainsi ceux les juifs atteints d'un Délire Orthodoxe de Radicalisation de la Bible.
106. De *massorah*, la tradition.
107. Le lecteur pourra trouver un tableau détaillé des composantes de l'orthodoxie israélienne dans le livre que Florence Heymann a consacré aux apostats de l'orthodoxie (les « sortants ») (*Les déserteurs de Dieu*, éd Grasset, Paris, 2015).

a adopté comme mode de pensée le questionnement, un questionnement d'une liberté absolue, écartant toute velléité de substitution et de dogmatisme. Ce texte complémentaire, parallèle, investi d'une légitimité totale, rend inopérante la fossilisation du Texte premier ; au contraire il transforme cette fossilisation en outil d'interprétation sans en être l'esclave dogmatique. Le judaïsme, même s'il possède lui aussi ses intégristes, ses aveugles et ses ignorants, a échappé ainsi à l'institution de l'altérité irréductible et de la désaltérisation. L'altérité, il l'accepte. Nous retiendrons donc du judaïsme, avant tout, l'institutionnalisation du doute et du questionnement.

LE CHRISTIANISME

Presque dès ses origines, il est tombé, esprit, pieds et poings liés, dans le piège de la substitution et du dogmatisme. L'union du politique et de la foi l'a doté de semelles de plomb. Il a ainsi institutionnalisé l'altérité, rendue irréductible. À de nombreuses reprises, il a chuté dans la désaltérisation. Des ébranlements *extérieurs* de force croissante lui ont été salutaires : il s'est amendé, souvent malgré lui, mais il s'est amendé. Ces ébranlements sont issus d'abord de groupes de croyants qui osaient désirer croire autrement : les disciples de Pierre Valdo (ou Vaudès) d'abord, ancêtres du protestantisme, Calvin, Luther et leurs disciples ensuite. Puis les philosophes du XVIIIe siècle, dont les idées ont progressé jusqu'à la Révolution pour aboutir, *in fine*, à la séparation de l'Église et de l'État.

L'élan irrépressible des idées et l'ébranlement tragique de la seconde guerre mondiale on conduit le catholicisme à une introspection ; elle a débouché sur le concile Vatican II, qui n'est achevé ni dans son essence ni dans son œuvre, mais qui a fait acte de questionnement. La fossilisation du texte fondateur n'est encore pas amendée. Pour l'instant il reste porteur d'attaques contre les juifs ; le risque d'un retour en force, par l'entremise d'un groupe intégriste, de l'antijudaïsme d'Église reste donc un danger permanent ; d'ailleurs il persiste volontiers dans l'Est de l'Europe.

Retenons pour le catholicisme l'acceptation, du changement, par étapes plus ou moins volontaires ; l'évolution s'est confirmée et accélérée avec le concile, qui a consacré une tendance bienvenue à l'ouverture. Même imparfaite, même incomplète, cette ouverture a représenté une césure immense avec le passé. Des papes l'ont soutenue. Elle est une promesse d'avenir, pour autant qu'elle conserve des promoteurs enthousiastes du retour aux sources, de la tolérance et de l'ouverture des relations inter-religieuses. Le salut passera par un pape encore plus courageux, prêt à s'attaquer aux racines scripturaires du mal.

L'ISLAM

L'islam de base, l'islam des *madrasas*, appuyé sur un texte fossilisé, est une doctrine dogmatique dont fait partie, par essence, l'altérité irréductible. La désaltérisation violente s'y cache et peut entrer en éruption à tout moment et à tout endroit. Au nom de la substitution, l'appropriation de Dieu et l'usurpation du Nom sont des paradigmes musulmans inaliénables ; sur eux est fondée, en maint foyer géographique et en maint groupement religieux, la violence. Essayez d'expliquer à un piétiste musulman que l'antisémitisme contrevient aux bonnes mœurs et aux principes républicains ; il vous répondra que cette objection est dénuée de toute valeur puisque le Coran fait de la discrimination des juifs une prescription divine. Il y a quelques années, un grand quotidien avait relevé de tels propos dans le discours d'un imam parisien à qui justement on faisait ce reproche.

Et pourtant la doctrine soufie, à partir du même texte, offre aux croyants un mode religieux apaisé et tolérant. Rien n'est donc perdu. Retenons ce hublot d'espérance. Mais il y a urgence. Et espérons que l'appel de Mme Hirsi Ali soit entendu un jour : « Ne nous abandonnez pas ! Ne nous empêchez pas d'avoir un Voltaire ! ».

L'INTÉGRISME

L'intégrisme, nous l'avons dit, est « tapi à la porte » de chacune des religions. La principale séduction de l'intégrisme est la paresse offerte à l'esprit : dès lors qu'on se moule dans un intégrisme, il n'est plus besoin de réfléchir. L'esprit peut s'enfermer dans un automatisme de la pensée et de l'action. De façon générale l'intégrisme se combat par l'éloge du savoir, de la réflexion, et de la diversité des opinions : ce serons nos principes ultimes.

C'est là que pourrait intervenir le principe talmudique du « huitième » : dans un autre domaine les Sages recommandent à leurs disciples d'avoir au moins « 1/8e d'orgueil »[108] (B. Sota 5a). Pourquoi ? Parce qu'en renonçant à tout souci de dignité personnelle, en s'humiliant, s'aplatissant trop, l'homme compromet l'étincelle divine qui scintille en lui. De la même façon le croyant pourrait ménager dans sa foi « 1/8e » de questionnement et de doute. La certitude est le moteur de la

---

108. Pourquoi « 1/8e » ? 1/4 eut été immodeste, et 1/16e non signifiant...

puissance et de l'oppression. Cela ne signifie pas nécessairement que le questionnement soit synonyme de faiblesse.

Doute, questionnement, tolérance, acceptation égalitaire de l'autre et de ses idées, ouverture à toutes les opinions, acceptation de vérités diverses : voici les antidotes de la chute. De ces quelques lignes il ressort que le salut réside dans l'intelligence des adultes et dans l'éducation des enfants : dans l'école.

L'INTELLIGENCE

Aborder la chute dans l'escalier du malheur sous l'angle de l'intelligence n'est pas tomber dans les lieux communs. Bien au contraire, c'est aborder le fond du problème. Que nous dit la Genèse ?

> Le Seigneur dit : voici l'homme devenu comme l'un de Nous, en ce qu'il connaît le bien et mal, Gn. 3 :22.

Connaître le bien et le mal : cela signifie ceci : savoir exercer à chaque instant sa responsabilité, choisir entre plusieurs options, se livrer à une réflexion décisionnelle : user de son intelligence. C'est aussi faire des efforts intellectuels, déployer pleinement sa qualité d'individu, faire triompher le soi sur le collectif, la réflexion personnelle sur les certitudes. Cette attitude intellectuelle est justement celle qui dérange le piétiste, l'orthodoxe, le dogmatique, l'intégriste. Une fois pour toutes, Dieu a pensé pour lui. Sa volonté est inscrite dans un Texte. Il ne reste à Son fidèle qu'à l'appliquer, la proclamer et la réaliser, sans réflexion aucune. Le piétiste, nous l'avions déjà annoncé, est le champion de la paresse cérébrale et de l'immobilisme fossilisé. Chaque collégien (nous reviendrons sur ce point) qui refuse un paradigme, une connaissance, un enseignement est la sentinelle avancée d'un mouvement de plomb prêt à effacer le questionnement de la Loi orale, la révolte de Luther et le mouvement libérateur des Lumières. *Tais-toi ou meurs*[109]. Voici ce que veulent nous ordonner ces totalitaires de la bêtise religieuse. La collusion entre l'extrême gauche et le salafisme[110] n'est pas un hasard. Il repose sur une haine identique, partagée, de la liberté de pensée.

Au-delà de ce paradigme fondamental, face au totalitarisme religieux, l'intelligence peut encore s'adresser à des raisonnements particuliers.

Les religions, nous l'avons vu, sont fragmentées en nombreuses logettes. Mettons qu'entre les trois religions monothéistes il y en ait une centaine. Si dans chacune de ces logettes se tiennent des croyants persuadés qu'ils détiennent l'unique vérité, forcément ceux des quatre-vingt dix neuf autres logettes sont dans l'erreur. Un taux de vérité d'un pour cent, ce n'est pas brillant. Et, pendant un court instant de vertige, pensons aux croyances des Navajos, des Mic-mac, des Inuits ou des Samoyèdes ; cessons de voir dans les *stupas* de seules attractions pour touristes ; et tentons de discerner dans la brume du passé, entre minarets et campaniles, la silhouette des totems des peuples dits premiers. Ces considérations ne doivent pas conduire à l'athéisme, mais à la tolérance et à la compréhension. Peut-être est-ce le moment de se rappeler un autre *midrach* :

---

109. « Tais-toi et meurs » : c'est l'apostrophe terrible de Mme Job à son époux résigné devant l'injustice divine (Job 2 :8).
110. Roger Maudhuy, *Le Figaro*, 24 juin 2016.

R. Simon enseigne : à l'heure où le Saint béni entreprit de créer l'Homme, les anges se divisèrent en groupes et en bataillons. Certains dirent : ne le crée pas ; d'autres : crée-le. C'est à cela que se réfère le verset : la Grâce et la Vérité se sont rencontrées, la Justice et la Paix se sont embrassées (Ps. 85 :11). La Grâce dit : qu'il soit créé, car il sera gracieux et charitable. La Vérité dit : qu'il ne soit pas créé, car il sera tout mensonges. La Justice dit : crée-le parce qu'il réalisera des choses justes. La Paix dit : ne le crée pas, car il sera tout querelles. Que fit le Saint Béni ? il prit la Vérité et la jeta à terre, comme il est dit :

Il jeta la vérité à terre (Dn. 8 :12). Alors les anges dirent devant lui : Maître du Monde, pourquoi méprises-tu Ton sceau ? Que la Vérité remonte de terre. C'est ce que signifie le verset : la vérité germera de la terre, Ps. 85 :12 (Gn R. 8 :5).

Même jetée à terre, même fragmentée, la vérité ne s'efface pas. Elle reste la vérité, unique ET multiple.

Un autre paradigme essentiel sollicite l'intelligence du croyant : la perception de l'éternité. Quand un prophète fait une annonce, comme celle d'une *alliance nouvelle*, comment pouvons-nous affirmer qu'il s'adresse à nous, où à nos pères immédiats ? Un prophète transmet la parole divine, qui est éternelle. Peut-être son annonce concerne-t-elle nos descendants, ceux de l'an 10 000 ? Ou ceux de l'an 100 000 ? Ou s'adressait-elle aux premiers créés, à la tribu de Lucy ou aux Néanderthaliens[111] ?

---

111. Nous avons montré dans d'autres ouvrages que le Talmud reconnaissait les âges de la Terre et l'évolution : il enseigne en effet que le Créateur, insatisfait, a fait se succéder plusieurs créations. Voir le chapitre VI, p. 231, *Le judaïsme et les sciences*, de notre livre : *Judaïsme, christianisme, islam*, L'Harmattan, Paris, 2015.

À propos de l'éternité, que dit le Psaume 90 ?

Mille ans sont à Tes yeux comme la journée d'hier[112], (verset 4).

À cette échelle, combien de jours entre Moïse et Jésus ? Trois jours ! Et entre Jésus et le Prophète Muhammad ? Même pas une journée. Est-ce sérieux de penser que le Créateur a changé de message en quelques jours, en quelques heures ? Certainement pas ; mais qu'il ait répété Son message, en usant de propos parallèles, à peine divergents, pour différentes peuplades, certainement. Dans cette optique la substitution s'apparente à l'aveuglement, et même au blasphème.

Il n'est pas interdit au croyant d'être intelligent. C'est même un devoir, puisque le Créateur lui a insufflé Son souffle, qui est aussi esprit[113].

Les prêtres

S'il est un groupement humain auquel le devoir d'intelligence s'impose, c'est bien la caste sacerdotale, dans toutes les religions. Elle doit apprendre à renoncer au psittacisme pour privilégier la réflexion ; les prêtres doivent parvenir à concilier l'enseignement de la foi et celui du questionnement : pour beaucoup il s'agira d'une révolution intellectuelle. Non, la certitude ne représente pas l'entier de la foi. Oui, dans la recherche de Dieu, le questionnement et le doute possèdent leur noblesse et leur légitimité. Oui, le Seigneur, quel que soit

---

112. Proposition reprise par le Coran : Ils te presseront de hâter le châtiment ; D. ne manque jamais à Ses promesses. Un jour auprès de D. fait mille ans d'après votre calcul. 22 :47.
113. Le mot *rouakh*, en hébreu biblique, possède les deux significations. C'est aussi le cas du vocable *pneuma* en grec.

le Nom qu'on Lui donne, ne peut être entièrement connu : quelle que soit la foi, quelle qu'aient été la majesté et le prestige du Prophète en charge de la révélation, quelle que soit la solidité du Texte, une aura d'incertitude baigne la relation de l'humain avec l'Inaccessible. Dans le long terme, douter (un peu), ou finir par tuer par excès de certitude, voici l'alternative, la vraie.

Cette révision est-elle si difficile, si novatrice ? Mais non ! Il suffit de lire et de méditer le livre de Job. Pendant une quarantaine de chapitres s'entrechoquent le doute, porté par Job, et la certitude, plaidée par ses amis[114]. Et finalement Job comprend ; il comprend qu'en ce qui concerne Dieu et Ses desseins *il ne peut rien comprendre.* Il va désormais se taire.

Oui, je me suis exprimé sur des choses que je ne comprenais pas, Job 42 :3.

Mais il a entrevu une lumière, la seule qui compte : Dieu s'est manifesté, Dieu existe : *Il est,* et rien d'autre ne compte :

Le Tout-puissant nous ne pouvons l'atteindre, Lui qui est grand par la force... C'est pourquoi les hommes le révèrent, mais Lui, il ne s'embarrasse pas du cœur des sages, Job 37 :23-24.

Finalement Job rejoint l'opinion d'un des sages du Talmud, Antigonos de Sokho :

Antigone de Sokho, disciple de Chimôn le juste, disait : « Ne soyez pas comme des serviteurs qui servent leur maître afin de recevoir un salaire ; soyez plutôt comme

---

114. Le dernier chapitre de notre livre *Lire la Bible après la Shoah, judaïsme, christianisme, islam,* L'Harmattan, Paris, 2015, est entièrement dévolu à une analyse du Livre de Job.

des serviteurs qui servent leur maître sans en attendre de rémunération, et que plutôt la crainte de Dieu soit sur vous. P. Av. 1 :3

Ce qui est extraordinaire dans l'histoire de Job, c'est que Dieu, très indulgent en faveur de ce rebelle, va châtier ses amis (Job 42 :7) : leur certitude était blasphématoire, parce qu'elle s'arrogeait l'illusion de comprendre les desseins du Seigneur et de les enfermer dans une justice rétributive simpliste de type humain.

L'école. Le piège de la laïcité

Dans l'esprit occidental, et en particulier dans notre pays, la laïcité repose sur l'effacement des religions dans la sphère publique, et leur relégation dans la sphère privée. C'est en partie une illusion, puisque les lieux de culte sont installés dans le domaine public que le fidèle doit traverser pour s'y rendre.

Ainsi conçue, la laïcité est un piège. Elle suppose que toutes les parties prenantes en aient la même conception. Mais si l'une d'elles est décidée à n'en pas respecter les modalités, la laïcité devient une illusion : ses principes et ses règles mêmes la rendent vulnérable face à un adversaire décidé à la violer. En faut-il une démonstration ? On la trouvera dans ces réunions sur la laïcité[115] organisées par l'État français dans les préfectures.

Pourquoi ces réunions multi-confessionnelles ? Parce que la laïcité est menacée. Bien. Menacée par qui ? Les catholiques ? Les protestants ? Les juifs ? Plus de cent ans après la loi de 1905, cela se saurait... Évidemment non.

---

115. On trouvera une excellente étude de la laïcité dans le livre publié par Rachid Benzine et le Père Delorme : *La République, l'Église et l'Islam*, éd. Bayard, Paris, 2016.

Mais pour ne heurter personne, toutes ces composantes sont invitées avec celle dont l'État voudrait se protéger. À partir de ce moment et dans cet esprit, il n'est plus possible, en public, d'aborder autre chose que des généralités. Les vrais problèmes sont tus. Et ces réunions, festivals de langue de bois, s'achèvent sans que rien n'ait pu être, ni réglé, ni même pris en considération. Nous voici exposé à l'accusation d'islamophobie. Mais non ! Si nous étions, non en 2016, mais en 1616, nous tiendrions sans doute des propos similaires à l'égard du catholicisme. Être intolérant à l'intolérance, est-ce réellement condamnable ? Et d'ailleurs, n'avons-nous pas tenu, dans d'autres chapitres, des propos sévères aussi bien à l'égard du christianisme que du judaïsme ?

Or, si l'on veut être efficace, il faut d'abord faire l'inventaire des problèmes : le premier est bien l'intolérance, reflet de la théologie de la substitution et de l'appropriation de Dieu. Cette intolérance est bien réelle, active, envahissante. Elle se traduit dans les écoles par le refus de certains enseignements, par la persécution de certaines minorités, et parfois par le rejet des hommages rendus aux victimes d'attentats. Il faut attacher à ces manifestations de rejet des valeurs occidentales leur vraie signification : ce rejet s'inscrit dans la fossilisation d'un Texte placé au-dessus de tous les autres, si bien que toute valeur est déniée aux connaissances et aux paradigmes qui en sont absents. Cette attitude est fondée sur la certitude de la supériorité de la culture coranique. Dès lors pourquoi s'efforcer d'acquérir les connaissances de la culture occidentale ? Il en résulte un mépris familial pour la scolarité, lourd de conséquences sociales ultérieures. Et surtout le rejet de la culture non coranique débouche sur l'hostilité aux données scientifiques et sur le négationnisme historique. Peut-être pourrait-on expliquer aux réfractaires que le téléphone portable, les automobiles, l'éclairage électrique ou encore internet ne se trouvent pas plus mentionnés dans le Coran ou les Évangiles que les travaux de Darwin. Dès lors qu'ils les utilisent, les croyants se doivent d'admettre que les connaissances scientifiques ont évolué depuis le Prophète : nécessairement *tout* ne peut se trouver dans le Texte. À défaut de cette prise de conscience qu'ils fassent comme les Mennonites de Pennsylvanie : qu'ils renoncent à utiliser ces instruments techniques et scientifiques de la modernité. Notons que même le judaïsme piétiste ne s'est pas opposé à la recherche et au progrès scientifique ; le Talmud nous indique que le Créateur n'a pas créé les outils. Il a créé les éléments qui ont permis à Sa créature de les concevoir et de les réaliser. La tradition orale a ainsi intégré la recherche scientifique dans la réalité de la vie, même religieuse. Le mot grec *technikè,* dont on connaît la fortune sous la forme de « technique », provient du vocable hébreu *metakein*, réparer[116]. À l'égard de la science le christianisme a rejoint le judaïsme, après des siècles de dogmatisme immobiliste.

La persécution des élèves juifs, qui ont presque tous dû quitter, devant une pression hostile, les écoles de la République, est un événement trop volontiers ignoré. Nos écoles laïques sont révérées depuis leur création par la plupart des citoyens français de confession juive ; l'auteur en est un ancien élève reconnaissant. Cette discrimination oppressive traduit la force

---

116. Patrick Jean-Baptiste, *Dictionnaire des noms français venant de l'hébreu*, Éd. du Seuil, Paris, 2010.

et l'enracinement du paradigme de l'altérité irréductible dans une partie de la population. Le retrait de ces élèves, lié à l'effritement puis à l'effondrement des principes mêmes de la laïcité, acceptés sans réaction des autorités scolaires, a eu un résultat paradoxal : menacés dans les écoles de l'État ces jeunes ont dû partir vers des écoles confessionnelles ! L'abandon de la laïcité publique les a conduits à l'abandon de la laïcité privée. Où donc est, désormais, la laïcité républicaine ?

L'adhésion de tant d'élèves à l'assassinat des journalistes de Charlie hebdo s'inscrit dans le paradigme de la désaltérisation : nous ne sommes donc pas confrontés à des événements banaux, un peu dérangeants, mais finalement acceptables, de la vie scolaire ; non, nous faisons face, pour toute une tranche d'âge d'un segment important de la population, à un profond conflit d'idées et de valeurs. La République cherche à lutter contre la radicalisation des jeunes gens. Mais cette radicalisation est là, en germe, dans de nombreuses écoles et dans de multiples collèges, sans réaction aucune. Elle l'est aussi dans de nombreux clubs sportifs, comme l'a révélé en 2015 un rapport de nos services de renseignement[117].

Pourtant de nombreux jeunes de confession musulmane se sont parfaitement intégrés dans la société républicaine. Plutôt que d'organiser des grandes réunions inutiles, c'est à eux qu'il faut s'adresser pour lutter contre l'islamisme, en les interrogeant : comment ont-ils su l'éviter, alors que, selon Boualem Sansal, il nous a déjà submergés[118] ?

Car ce conflit d'éducation est lié à un sentiment culturel occulte mais bien présent : la certitude de la supériorité d'une

---

117. *Le Figaro*, 8 juillet 2016, p. 9.
118. Interview accordée au quotidien allemand *Die Welt*, fin mai 2016.

tradition religieuse sur les principes républicains. La société est donc confrontée, dès les premières années de l'éducation scolaire, à un refus particulier, identitaire, de la laïcité républicaine, qui traduit un clivage accusé de culture dans nombre de familles. C'est ce clivage, c'est ce refus qu'il faut attaquer de front ; dans le respect, mais *de front* et *maintenant* : tous les jours. Il ne fait pas partie de ce que certains, à la suite d'expériences québécoises, appellent des « accommodements raisonnables » – qui, selon le sociologue Mathieu Bock-Côté[119] finissent par être dangereusement déraisonnables.

La première étape dans cette démarche est donc non d'*effacer* le fait religieux, mais de l'aborder franchement dans un but premier essentiel : enseigner sans faiblir l'égalité des religions, de toutes les religions ; l'égalité aussi de toutes les opinions, fussent-elles laïques ; et la valeur des données scientifiques[120], quels que soient les paradigmes des textes sacrés. N'oublions pas la raison pour laquelle un jeune homme a été condamné en Arabie à recevoir mille coups de fouet : il avait osé affirmer que judaïsme, christianisme et islam étaient égaux. L'Arabie est-elle si éloignée de certaines de nos banlieues ? Elle en finance bien des mosquées.

Le doute et le questionnement peuvent s'enseigner à partir d'articles de journaux. Mais la formation intellectuelle des élèves, même des plus jeunes, peut, doit s'aider des grands auteurs ; même dans les cycles primaires, on peut étudier des

---

119. Bock-Côté Mathieu, *Le Multiculturalisme comme religion politique*, Éd. du Cerf, Paris, 2016.
120. Il y a quelques années une association musulmane riche de pétro-dollars a fait distribuer aux élèves, en dehors des écoles bien sûr, un livre luxueusement illustré, que nous avons pu consulter ; il avait pour objet de contrer les connaissances scientifiques. Il présentait par exemple des photographies d'ammonites géantes fossiles, pour en « démontrer » le caractère de simple conglomérat de poussières, formé par hasard.

passages de Montaigne, de Voltaire ou de Montesquieu. Les écrits des philosophes du XVIIIᵉ siècle sont l'ossature même de la République. Les méconnaître est suicidaire. C'est avec eux que peut s'initier le choix entre Mère Térésa et Savonarole. Celui qui, de la religion, n'enseigne que la certitude risque de devenir un professeur d'intégrisme. Voltaire terminait ses lettres par la mention : « Ecralinf » : *écrasons l'infâme*. L'infâme, c'était pour lui le totalitarisme religieux. L'infâme est toujours là, menaçant, déterminé à dominer.

On peut aussi prendre connaissance des enseignements égalitaires des religions, de toutes les religions, aussi épars et timides soient-ils. L'enseignement des droits de l'homme, expression laïcisée des Dix commandements, fait évidemment partie de l'enseignement élémentaire. Doute, questionnement, philosophies... Avec ce bagage on peut commencer à aborder avec sérénité l'Histoire antique. Et avec elle celle de Rome, celle de la Terre sainte, celle de l'Arabie, et celle des textes sacrés ; et donc lutter contre le négationnisme historique. Et retirer enfin l'enseignement de la médiocrité où des années de réformes stupides et de lâches démissions l'ont plongé.

Il n'est pas inutile de se rappeler qu'*élever* des enfants, c'est les faire accéder aux sphères supérieures de la connaissance ; le partage de la connaissance est le meilleur outil de l'égalité sociale. Confinée aux frontons des bâtiments, l'égalité s'ennuie.

Des familles protesteront ? Les familles sont-elles les meilleurs juges de la légitimité d'un enseignement ? Ces protestations il faudra les traiter ; encore une fois, dans le respect, mais *de front* ; mais pas seulement à l'école, par des enseignants qui souvent se sentent, dans ce domaine, complètement abandonnés. L'implication de toute la sphère éducative, jusqu'aux plus hauts niveaux hiérarchiques de l'Éducation nationale et de l'État est indispensable dans la reconquête d'une vraie laïcité et d'un enseignement indépendant, libéré d'inacceptables pressions communautaristes. Trop souvent le front des plus hauts responsables porte les traces du sable où ils ont choisi, par lâcheté, d'enfouir leur tête. Ils ont oublié ce qu'est l'Éducation nationale : d'abord une éducation, bien sûr ; mais ensuite une éducation *nationale* : par la Nation, pour la Nation. La république a besoin de vrais ministres et de vrais recteurs. La laïcité, garante de l'égalité entre les spiritualités, est un enrichissement, et pour les citoyens et pour la sphère éducative. Hélas ! l'abstention de la France lors du vote de l'Unesco effaçant le passé juif de Jérusalem montre que dès maintenant, face au salafisme, l'esprit de soumission a gagné les hautes sphères de l'État : dès maintenant, la doctrine de Pétain va s'imposer face à celle de de Gaulle. L'école risque de rester gangrenée.

Cette laïcité frileuse et démissionnaire peut devenir l'instrument d'une domination religieuse, déjà en marche, qui effacerait des siècles de lutte pour la liberté de penser. Cette liberté est la noblesse de la culture occidentale. C'est cela qui est en jeu.

La légitimité du fait religieux

Et maintenant vient l'essentiel.

Cet éloge de la laïcité est-il une plaidoirie pour l'abandon des religions, parce que certaines d'entre elles risquent de devenir oppressives et meurtrières ? Évidemment non ! Notre monde occidental est devenu, en grande partie, *a-religieux*.

189

En dehors de la sphère de l'islam, notre société n'est pas loin de considérer la quête d'une spiritualité comme une manifestation, soit de débilité, soit de perversion. Pourtant toutes les peuplades, même les plus primitives, ont recherché une voie spirituelle au-delà de l'immédiat. Partout dans le monde, ce sont des temples que fouillent les archéologues ; et quand ce ne sont pas des temples, ce sont des tombeaux, reflétant une antique foi en un autre monde : des pyramides Maya à la Babylonie, d'Angkor Vat à la Vallée des Rois, de Stonehenge au Parthénon.

Cet appel spirituel, beaucoup d'humains le ressentent ; il se fonde sur la conscience de notre fragilité ; et sur la perception, aussi imprécise et lointaine qu'elle soit, d'une entité autre que ce que révèlent à nos sens nos perceptions physiques. Elle répond à la conviction que la vie n'est pas seulement le jeu biochimique et génétique de nos organes. Les croyants estiment que, d'une certaine façon, après notre mort physique, l'essence même de notre être pourra encore jouir de la beauté du monde. Est-ce vraiment une forme de faiblesse immature ? Mais non, c'est une espérance. Et c'est une quête de noblesse. Il faut une grande force de caractère pour s'en priver.

Cette entité, facile à pressentir et impossible à connaître, à qui l'humanité a donné le nom de Dieu, ne saurait avoir une religion. La religion est ce qu'une communauté d'humains met en place pour organiser l'idée qu'elle peut se faire de Dieu. Rechercher Dieu sans l'appui d'une religion structurée est possible ; mais c'est risquer de se prêter à une dérive sectaire.

La religion structurée est révélée par un Prophète, par une théophanie, par un Texte.

Cette triade fait appel à la foi. C'est là que se noue la qualité de l'avenir : spiritualité et amour réciproque, ou au contraire intégrisme aveugle et meurtrier.

La religion, les religions doivent enseigner à la foi ceci : que si son objet ultime, Dieu, est connu, l'essence même de cet objet ne peut l'être. Dès que le croyant prétend connaître l'inconnaissable, il s'expose à la chute dans l'escalier du malheur. La foi doit offrir, associées, deux certitudes : la première est l'idée de l'existence de Dieu ; la seconde est celle de l'impossibilité d'appréhender Sa nature, et donc Sa volonté. Toute prétendue certitude à cet égard est, au mieux, une prétention mensongère, et au pire la voie du mal absolu : l'aveuglement meurtrier de l'intégrisme est tapi à la porte du croyant. Même les efforts des cabalistes, qui ont cherché à enchaîner les unes aux autres les images complexes de l'architecture du Trône, ne sont qu'illusions scintillantes : la théologie a l'apparence d'une science exacte ; elle s'appuie sur des textes, écrits, solidifiés, empreints de vérité, opposables... le problème est que cette théologie si solide est construite sur les sables mouvants de la foi : quel architecte s'aventurerait à planter les poutrelles d'acier d'un gratte-ciel sur une plage ? En matière de théologie, la seule certitude est que rien n'est certain. C'est ce que nous démontre Job, et ce que professait, il y a deux mille ans déjà, Philon d'Alexandrie.

À chacun d'entre nous de bâtir, à partir de sa foi, de son Texte et de ses prophètes un équilibre entre certitude et incertitude, et de faire de cet équilibre le socle d'une élévation permanente. À chacun d'entre nous d'entretenir dans sa foi la petite lumière du doute et de la raison : c'est le meilleur antidote contre l'intégrisme meurtrier. On peut chercher à imposer à l'Autre une certitude, même si elle est fausse ; mais qui le mobiliserait au service d'une incertitude ? Conceptualiser l'inconcevable est l'une des expressions de la noblesse de l'esprit humain. Faire de cette conceptualisation un instrument d'aliénation et d'oppression, c'est trahir l'idée même de Dieu. Religieux et théologiens mes frères, (et mes sœurs) aimons et servons Dieu, et faisons-Le connaître, persuadés que nous ne savons ni Qui Il est, ni comment Le satisfaire, sinon par l'éthique universelle – à condition qu'universelle elle le soit vraiment. Car si l'éthique d'une religion ne s'adresse qu'aux « nôtres » et en exclut les « autres », elle ne s'inscrit plus dans l'éthique. Voici à cet égard un ordre de mission clair et net du prophète Isaïe ; nous en avions déjà lu les premières lignes :

Oui, vous jeûnez pour fomenter querelles et discussions. Est-ce là un jeûne qui puisse M'être agréable, un jour où l'Homme se mortifie lui-même ? Courber la tête comme un roseau, se coucher sur le cilice et la cendre, est-ce là ce que tu appelles un jeûne, un jour bienvenu de l'Éternel ? Voici le jeûne que j'aime : c'est de rompre les chaînes de l'injustice, de dénouer les liens de tous les jougs, de renvoyer libres ceux qu'on opprime, de briser enfin toute servitude. Puis encore, de partager ton pain avec l'affamé, de recueillir dans ta maison les malheureux sans asile ; quand tu vois un homme nu de le couvrir, de ne jamais te dérober à ceux qui sont comme ta propre chair. C'est alors que ta lumière poindra comme l'aube, que ta guérison sera prompte à éclore ; ta vertu marchera devant toi et la majesté de l'Éternel fermera la marche. Alors tu appelleras et le Seigneur te répondra ; tu supplieras et Il dira : « Me voici. » Ta vertu marchera devant toi et l'Éternel fermera la marche, Is. 58 :4-9.

Cet ordre de mission, il nous faut l'accomplir en dehors du fracas des conquêtes ou des reconquêtes, en dehors des conversions forcées, en dehors des processus d'altérité et de désaltérisation. Il nous faut retrouver le mode d'écoute du Prophète Elie, pour être capable de reconnaître, à l'affût de la Parole, ce qui peut n'être qu'un murmure :

> Devant lui un vent intense et violent, fendant les monts et fracassant les rochers ; mais dans ce vent, le Seigneur n'était pas. Après le vent une forte secousse ; et le Seigneur n'y était pas non plus. Après la secousse un feu, et le Seigneur n'était pas dans le feu. Puis, après le feu, *un doux et subtil murmure*. Il advint que quand Elie le perçut il se couvrit le visage... I R. 19 :11 −13. : le murmure c'était la théophanie attendue.

Alors, accessibles au murmure, pourrons-nous peut-être nous exprimer comme David :

> J'aime... j'aime que le Seigneur écoute ma voix et mes supplications, et qu'Il incline son oreille vers moi... Ps. 116 :1-2.

Entre fracas et murmures, que de contradictions ! Mais les religions sont faites de contradictions. En voici quelques-unes : dans le judaïsme s'affrontent l'universel et le particulier. Dans le christianisme l'unité est confrontée à la trinité. L'islam affiche un discours de paix bâti sur un texte guerrier... Alors assumons nos contradictions, dans la sagesse et l'humilité. Et peut-être pourrons-nous essayer de répondre à cette question fondamentale, qui, sans avoir été exprimée, court en filigrane dans cet essai depuis sa première ligne : le monde est-il plus heureux avec ou sans religieux ? avec ou sans religions ? À eux, à elles d'élaborer une réponse.

Bibliographie

Barnavi Elie, *Les religions meurtrières*, Flammarion, Paris, 2006.

Beau Jérôme (Mgr), Chermet Bruno, Chevalier Yves, *Juifs et chrétiens face à la Shoah*, Éd. parole et silence, École cathédrale, 2016.

Becker Jürgen, *Paul, l'Apôtre des nations*, Cerf, 1995.

Benzine Rachid et Delorme Christian, *La République, l'Église et l'Islam*, Éd. Bayard, Paris, 2016.

Bock-Côté Mathieu, *le Multiculturalisme comme religion politique*, Éd. du Cerf, Paris, 2016.

Chebel Malek, *Manifeste pour un islam des lumières*, Éd. Pluriel, Paris, 2011.

Cohen Joseph, *La fabuleuse histoire de l'écriture hébraïque*, Éd. du Cosmogone, Lyon, 1999.

Dubost Michel (sous la direction de), *Théo, l'Encyclopédie (catholique) pour tous*, Éd. Droguet et Ardant/Fayard, 1992.

Flavius Josèphe, *Une Histoire des Juifs. La guerre des Juifs contre les Romains*, Lidis, 1968.

Geoffroy Eric, *Le Soufisme, Histoire, fondements, pratique*, Éd. Eyrolles, Paris 2013 et 2015.

Goldnagel Gilles-William, *Le nouveau bréviaire de la haine*, Éd. Ramsay, Paris, 2001.

Halévi Juda, *Le Kuzari*, Éd. Verdier, 1992.

Harari Yuval Noah, *Sapiens, Une brève histoire de l'humanité*, Albin Michel, Paris, 2016.

Havard Gilles et Vidal Cécile, *Histoire de l'Amérique française*, Flammarion (Champs), Paris 2003, 2008, 2014.

Heymann Florence, *Les déserteurs de Dieu*, Grasset, Paris, 2015.

Hirsi Ali Ayaan, *Insoumise*, Éd. Robert Laffont, Paris, 2005, *Prix Simone de Beauvoir 2008*.

Jean-Baptiste Patrick, *Dictionnaire des noms français venant de l'hébreu*, Éd du Seuil, Paris, 2010.

Johnson Paul, *Une Histoire des Juifs*, J.-C. Lattès, 1989.

Küntzel Matthias, *Jihad et haine des juifs*, Éd. L'Œuvre, Paris, 2009.

Lacroix Anne, *Le Vatican, l'Europe et le Reich*, Armand Colin, Paris, 2010.

Lea Henry Charles, *Histoire de l'Inquisition au Moyen Âge*, Robert Laffont, Paris, 2005.

Moreau Anne-Claire, *Peuples, guerres et religions dans l'Amérique du Nord Coloniale*, L'Harmattan, Paris, 2014.

Oubrou Tareq, *Ce que vous ne savez pas sur l'islam*, Fayard, Paris, 2016.

Poliakov Léon, *Histoire de l'antisémitisme*, Éd. Calmann-Lévy, Paris, 1981.

Sand Schlomo, *Comment la Terre d'Israël fut inventée*, Éd. Fayard, Paris, 2008.

Sansal Boualem, *Gouverner au nom d'Allah*, Gallimard, Paris, 2013.

Shirer William L., *The rise and fall of the third Reich*, Fawcett publ., Greenwich, Conn., 1963.

Simon Marcel et Benoît André, *Le Judaïsme et le Christianisme antiques*, PUF, nouvelle éd., 2015 (1998).

Stangneth Bettina, *Eichmann before Jerusalem*, Knopf publ., New York, 2014.

Taguieff Pierre-André, *La nouvelle judéophobie*, Arthème Fayard (Mille et une Nuits), Paris, 2002.

Taguieff Pierre-André, *La Judéophobie des modernes*, Odile Jacob, Paris, 2008.

Villiers de, Philippe, *Les cloches sonneront-elles encore demain ?* Albin Michel, Paris, 2016.

Weill Francis, *L'éthique juive en Dix paroles*, Éd MJR, Genève, 2006.

Weill Francis, *Dictionnaire alphabétique des sourates et versets du Coran*, L'Harmattan, Paris, 2008.

Weill Francis, *L'intégrisme, le connaître pour mieux le combattre*, L'Harmattan, Paris, 2012, *Prix Caroubi 2013*.

Weill Francis, *Chrétiens et juifs, juifs et Chrétiens, l'inéluctable fraternité*, L'Harmattan, Paris, 2013.

Weill Francis, *Folie du monde et vertige des religions, Mémoires d'un vieux médecin*, L'Harmattan, Paris, 2016.

Wigoder Geoffrey (sous la direction de), *Dictionnaire encyclopédique du Judaïsme*, Cerf/Robert Laffont, 1996.

Yousafzai Malala, *I am Malala*, Little, Brown and company, New York, 2013.

La mise en page de cet ouvrage en Times a été effectuée par Paul Royer.

L'HARMATTAN ITALIA
Via Degli Artisti 15; 10124 Torino
harmattan.italia@gmail.com

L'HARMATTAN HONGRIE
Könyvesbolt ; Kossuth L. u. 14-16
1053 Budapest

L'HARMATTAN KINSHASA
185, avenue Nyangwe
Commune de Lingwala
Kinshasa, R.D. Congo
(00243) 998697603 ou (00243) 999229662

L'HARMATTAN CONGO
67, av. E. P. Lumumba
Bât. – Congo Pharmacie (Bib. Nat.)
BP2874 Brazzaville
harmattan.congo@yahoo.fr

L'HARMATTAN GUINÉE
Almamya Rue KA 028, en face
du restaurant Le Cèdre
OKB agency BP 3470 Conakry
(00224) 657 20 85 08 / 664 28 91 96
harmattanguinee@yahoo.fr

L'HARMATTAN MALI
Rue 73, Porte 536, Niamakoro,
Cité Unicef, Bamako
Tél. 00 (223) 20205724 / +(223) 76378082
poudiougopaul@yahoo.fr
pp.harmattan@gmail.com

L'HARMATTAN CAMEROUN
TSINGA/FECAFOOT
BP 11486 Yaoundé
699198028/675441949
harmattancam@yahoo.com

L'HARMATTAN CÔTE D'IVOIRE
Résidence Karl / cité des arts
Abidjan-Cocody 03 BP 1588 Abidjan 03
(00225) 05 77 87 31
etien_nda@yahoo.fr

L'HARMATTAN BURKINA
Penou Achille Some
Ouagadougou
(+226) 70 26 88 27

L'HARMATTAN SÉNÉGAL
10 VDN en face Mermoz, après le pont de Fann
BP 45034 Dakar Fann
33 825 98 58 / 33 860 9858
senharmattan@gmail.com / senlibraire@gmail.com
www.harmattansenegal.com

Achevé d'imprimer par Corlet Numérique - 14110 Condé-sur-Noireau
N° d'Imprimeur : 703715 - Février 2017 - Imprimé en France